Los *JET* de Plaza & Janés

BIBLIOTECA DE

Alberto Vázquez-Figueroa

NUEVOS DIOSES

PLAZA & JANES EDITORES, S.A.

Diseño de la portada: Método

Undécima edición en esta colección: junio, 1994
(Primera edición con esta portada)

© 1980, Alberto Vázquez-Figueroa
Editado por Plaza & Janés Editores, S. A.
Enric Granados, 86-88. 08008 Barcelona

Printed in Spain – Impreso en España

ISBN: 84-01-49069-3 (Col. Jet)
ISBN: 84-01-46967-8 (Vol. 69/17)
Depósito legal: B. 24.421 - 1994

Impreso en Litografía Rosés, S. A.
Progrés, 54-60. Gavà (Barcelona)

CIENTÍFICAMENTE ES POSIBLE

A. V.-F.

Con la primera claridad del día, contempló las manos que descansaban sobre la blanca sábana.

Eran unas manos jóvenes, fuertes, de piel tersa, sin una sola mancha de vejez; manos morenas, tostadas por el sol, cuidadas en cada detalle, pero con una diminuta cicatriz, casi invisible, en la segunda falange del dedo anular izquierdo.

No le costó trabajo reconocer aquellas manos, aunque no recordaba la existencia de la pequeña cicatriz, pues las había visto millones de veces, escribiendo, jugando, comiendo o acariciando la cara o los pechos de una mujer; orgulloso de ellas, de su forma, su habilidad y su capacidad de transmitir de algún modo sus sentimientos.

Una vez, tras una larga entrevista en Televisión, alguien le dijo que lo más interesante de su alocución había sido el modo con que sus manos supieron reafirmar sus palabras, imprimiéndoles una sinceridad que hubiera sido difícil aceptar por ellas mismas, e incluso por la expresión de su rostro: «Las manos te salvaron, porque nadie es capaz de mentir con la boca y las manos al mismo tiempo...»

Ahora, tantos años después, aquellas manos estaban allí, ante él, jóvenes y fuertes, nuevas y quizá más firmes que antaño.

A través de la ventana le llegó el canto de los pájaros madrugadores, y la copa de un árbol se meció en el cielo grisáceo e impreciso del alba. No estaba soñando y se encontraba vivo y despierto, observando sus manos y palpando con ellas sus muslos; muslos de piedra en los que cada músculo destacaba como nunca los hubiera sentido antes.

Levantó ligeramente la sábana y subió el camisón. Su estómago aparecía plano, velludo y tirante, sin la flaccidez ni la ligera curva prominente a que le tenía acostumbrado en los últimos años.

No lo reconoció. Era el suyo, sin duda, con la misma diminuta verruga debajo, a la derecha, pero parecía haber sido sometido a un entrenamiento que le había desprovisto de grasa, celulitis y aquella indescriptible sensación de algo sin vida, una bolsa que se va agrandando con los años.

Su cerebro envió una orden al estómago y sus músculos se contrajeron levemente con un cierto retraso. Advirtió que ese mismo retraso afectaba también a sus manos, pero recordó las palabras del doctor: «No debe preocuparse si, en un principio, su cuerpo se niega a reaccionar con normalidad... Ocurre siempre...»

«Ocurre siempre...» ¿A cuántos les habría ocurrido antes? ¿Cuántos se habrían mirado las manos con la misma sorpresa, tratando de buscar también en su cuerpo detalles ya olvidados?

—No muchos... —le dijeron—. Pero más de los que imagina.

Bajó de nuevo el camisón, se cubrió con la sábana, y permitió que sus manos descansaran de lo que le pareció un tremendo esfuerzo. La luz del día iba ganando terreno y el cielo cobraba un color desvaído que apenas destacaba contra una tímida nube que asomaba por encima de las copas de los árboles.

Oyó voces ahogadas y un rumor de vehículos lejanos, y se preguntó si era realmente posible que el mundo continuara su marcha allá afuera, ignorante del milagro que se había efectuado tras los amarillos muros del edificio que dominaba la colina y ajeno al hecho de que él, Alain Remy-Duray estuviera tendido en aquella cama contemplando sus jóvenes manos y su terso estómago.

Luego se sumió en un sueño inquieto, poblado de extrañas pesadillas en las que se vio a sí mismo buscándose a sí mismo, incomprensible búsqueda, pues tenía clara conciencia de que era él, y no otro, quien perseguía anhelante, y como desesperado, a otro que no era sino él.

Le despertó el rumor de pasos y susurros y abrió los ojos al rostro amable y firme del doctor Ericsson que palpaba suavemente el vendaje de su cabeza.

Sonrió.

—¿Cómo se encuentra?

Asintió con un gesto, y advirtió la cálida mano del hombre sobre la suya.

—Mueva el dedo pulgar.

Lo hizo. El médico aprobó con un ademán y apartó las sábanas dejándole descubierto sobre la cama, un tanto ridículo al estar vestido tan solo con aquel camisón blanco.

—Mueva ahora el pie izquierdo —rogó—. Arriba y abajo.

Dio la orden, y su cerebro buscó transmitir esa orden al pie. Hubo unos instantes de confusión, duda o pánico, pero al fin el pie izquierdo se movió.

El doctor Ericsson lo acarició levemente y sintió cosquillas. Pero era una sensación indefinible, porque, en un principio, no pudo decidir si las cosquillas las experimentaba en el pie derecho o en el izquierdo. Al fin todo se aclaró en su mente y contrajo ligeramente las piernas apartándolas de los dedos del médico.

Con un pequeño martillo metálico y frío le golpearon la rodilla, y le voltearon para que unas manos expertas recorrieran, una tras otra, las vértebras de su columna. No se sentía capaz de decidir cuál de las vértebras era palpada en cada instante, porque las impresiones continuaban llegando con retraso a su mente.

Le agradó sentirse de nuevo frente al rostro del médico, que hizo un ligero ademán a sus ayudantes para que les dejaran a solas.

Cuando la puerta se hubo cerrado, sonrió otra vez.

—¡Bien! —exclamó—. Cumplimos lo prometido... En un mes estará usted «como nuevo»... —hizo particular hincapié en las dos últimas palabras y su expresión cambió, ensombreciéndose levemente—. Ése es ahora el gran problema... —añadió—. ¿Cree que está en capacidad de sentirse un hombre nuevo...?

—Los psiquiatras consideran que sí... —le costaba trabajo articular las palabras, como si estuviera borracho o drogado—. Y siempre estaré más capacitado para ser un hombre nuevo, que un hombre muerto.

—No lo sé... —ironizó el otro—. Hasta ahora, que yo sepa, todos los muertos han demostrado una perfecta capacidad para estar muertos. Salvo contadas excepciones, poco dignas de crédito, ninguno ha protestado...

Intentó sonreír pero experimentó un agudo dolor en el cuello como si mil agujas al rojo se le clavaran al unísono en la piel. Ericsson le golpeó levemente en el dorso de la mano.

—Descanse —pidió—. Ahora lo único que necesita es tiempo y reposo...

Se puso en pie dispuesto a salir, pero le detuvo con un gesto. Aguardó expectante.

—¿Qué día es...? —quiso saber.

—Catorce de abril —fue la respuesta—. Ha permanecido doce días inconsciente... Admito que es una operación traumatizante.

—¿Cuánto tiempo duró?

—Veintidós horas.

—¡Dios bendito...!

—No se preocupe... Todo está bien. Ya no hay peligro.

Salió dejándole a solas con la última frase: «Ya no hay peligro.»

Sonaba bien. Sonaba maravillosamente bien tras dos largos años de vivir con el constante temor de no despertar a la mañana siguiente, de apagar la luz sin saber si volvería a encenderla alguna vez.

Habían sido tiempos de envidia. Tiempos de contemplar a las gentes con un rencor nacido de la seguridad de que estaban sanos, podían correr, gritar, hacer el amor o emborracharse, y un día, cuando él estuviera muerto y enterrado, continuarían allí, en el mismo lugar, corriendo, gritando, haciendo el amor y emborrachándose.

Su chófer, su criado, sus cientos —tal vez miles— de empleados, del más alto ejecutivo al más miserable recadero, se mostraban ante él, insolentes, insultantes casi en su derroche de salud, mientras él, el amo, el «jefe», el poderoso Alain Remy-Duray, se veía obligado a permanecer prácticamente inmóvil, avariento de gestos, incapaz de un exceso, imposibilitado de realizar el menor de los esfuerzos...

¿Se podía sentir celos de la Humanidad entera? ¿Era lícito odiar al mundo porque no estuviera enfermo? A veces, a solas en sus noches insomnes, se hacía a sí mismo esa pregunta, jamás hallaba respuesta, y su mente sana de hombre enfermo, reaccionaba de modo arbitrario, aunque siempre se había considerado justo, inteligente y equilibrado, y con ese criterio de justicia gobernó su imperio.

Pero en los últimos tiempos, a medida que el mal iba minando su cuerpo y los médicos limitaban más y más sus actos, advertía que esa mente quería traicionarle, su sentido de la equidad fallaba, y el equilibrio que había presidido todas sus acciones se transformaba en un atrabiliario abuso del poder y un deseo de injusta venganza contra sus nuevos enemigos, los sanos.

Resultaba estúpido y lo sabía, pero se negaba a aceptar que un criado semianalfabeto gozara de la vida, mientras él se veía obligado a permanecer inmóvil viendo transcurrir las horas a la espera de un nuevo aviso fatal.

¡Cuántas veces contempló desde la ventana al

jardinero, maravillado por la actividad que era capaz de desplegar aquel anciano sarmentoso, regando, rastrillando, sembrando, podando y cargando carretillas, con ánimo aún, a última hora de la tarde, para gastar bromas a la cocinera antes de trepar a su herrumbrosa bicicleta y alejarse, pedaleando, hacia su distante y minúscula casucha...!

¿Por qué la Naturaleza decidía conceder semejante vigor a un anciano que no había servido nunca más que para repetir días tras día la misma monótona tarea, y se lo negaba sin embargo a él, que tanto hubiera podido hacer por el mundo y por sus semejantes...?

El «Imperio Remy-Duray» comenzó a decaer o, al menos, cesó de crecer y expansionarse, desde la misma noche en que Alain Remy-Duray sufriera su primer infarto, y con ese infarto, planes ambiciosos y muy bien meditados que hubieran creado riqueza y miles de puestos de trabajo, pasaron al olvido, porque con el «patrón» postrado en una cama y amenazado por un nuevo ataque, no existía nadie capaz de llevar adelante sus fabulosos y arriesgados proyectos.

Así fue cómo a los cuarenta y un años, Alain Remy-Duray, propietario de la mayor cadena de revistas y diarios de habla francesa, continuador y renovador de una vieja estirpe de hombres de empresa y poder, se encontró clavado en una cama y un sillón, incapacitado para cuanto no fuera permanecer a la escucha de los irregulares latidos de su caprichoso corazón, mientras en la calle, miles y millones de estúpidos inútiles, vagaban de un lado a otro sin saber en qué emplear el portentoso derroche de salud con que Dios les había dotado.

¿Era o no una sinrazón concederle semejante poder para impedirle después utilizarlo cuando llegaba a la edad justa de saber cómo hacerlo...?

Durante aquellos dos largos años de encierro, Alain había meditado a menudo sobre la extraña y cruel broma que le gastaba el destino. Habían sido precisas tres generaciones de Remy, y cinco de Duray, para reunir en una sola persona las infinitas posibilidades que el futuro parecía reservar a ambas familias. Fueron necesarios luego más de veinte años para que Alain se afianzara en su puesto, convenciendo a su familia de que el suyo era un cerebro de privilegiado y no de loco aventurero, pero bastó sin embargo un simple fallo de aquella frágil máquina que constituía el cuerpo humano, para que tanto esfuerzo y tanto futuro esperanzador se perdieran para siempre.

¿Quién heredaría cuando el último ataque se lo llevara por delante...? ¿Cómo destrozarían entre tías, primos y sobrinos, la más hermosa torre de poder político y económico que existió nunca en Francia o incluso en Europa...? René le tenía puesto el ojo a *Le Miroir*, el matutino de la capital, Claude a la cadena de diarios de provincias, y tío Francis a los tres semanarios, en tanto que las fincas, las casas, las fábricas y el yate se repartirían entre los parientes menos afortunados.

Alain comprendió pronto que así sería, y que resultaba estúpido e inútil esforzarse por evitarlo, ya que no existía entre sus infinitos parientes uno solo a quien confiarle las riendas de la empresa, y era ya demasiado tarde para pensar en casarse y tener hijos que continuaran su obra.

Lamentable había sido el espectáculo de aquel último año, desfile interminable de hombres falsamente apesadumbrados y mujeres ridículamente solícitas —algunas incluso cargadas con toda una tropa de chicuelos alborotadores— a la búsqueda de una línea en el testamento; unas migajas del festín que se avecinaba: el mísero legado de unos miles de francos para cuando su corazón estallara definitivamente.

¡Cuán larga era la lista, y cuán inaudita capacidad de reproducción demostraban los Remy y los Duray...! Chicos y chicas con los que jugó en la finca de la abuela Jeannette durante los aburridos y calurosos veranos de su juventud, eran ya padres de una pléyade de nuevos chicos y chicas dispuestos al parecer a continuar muy pronto reproduciéndose con idéntico entusiasmo.

Incluso Shireem debía estar a punto ya de ser abuela, pese a que a su memoria continuaba acudiendo aún como la muchacha de los inmensos ojos asustados que se le entregó por primera vez una bochornosa tarde de agosto. ¡Shireem, Shireem...!

Durante años aquel nombre llenó las esquinas de las páginas de sus libros de texto, ocupó los escondidos rincones de sus pupitres y de los cajones de sus primeras mesas de despacho, y se acurrucó en lo más recóndito de su corazón.

Shireem... La primera y, probablemente, la única mujer que amó en su vida; el más esbelto, duro y sensual de los cuerpos que poseyó nunca; la boca más dulce, la mirada más profunda, el sexo más ardiente y el olor más embriagante.

Shireem, que le perteneció un verano, un otoño, y todo un largo e inolvidable invierno, pero que con la llegada de la más amarga de las primaveras, eligió casarse con Klaus Von-Willprett, afirmando, aún más, la ya bien afianzada fortuna de sus antepasados.

Y es que en aquel tiempo, muchos años antes de que Alain extendiera su imperio, la cadena «Remy-Duray» nada significaba frente a las factorías argentinas de los Duray, y mucho menos aún frente a las fábricas y las acerías de los Von-Willprett.

¡Shireem...! «La boda del año» para las «revistas del corazón», a cuyas páginas acudiría luego ininterrumpidamente junto a Soraya, Farah-Diba, Elizabeth Taylor o Grace de Mónaco, puesto que Shireem poseía para los millones de lectoras de aquellas publicaciones todo cuanto ambicionaban: juventud, belleza, inteligencia, simpatía, elegancia, dinero y poder.

Se contempló las manos nuevamente. Eran aquéllas las mismas manos que la acariciaron, que desataron, temblorosas, su traje de baño y buscaron, inexpertas aún, la entrada de aquella cueva dulce y caliente, negra y rosada, en la que se hundirían para siempre sus deseos y sus sueños.

Eran las mismas manos; igual de jóvenes y fuertes, igual de activas y, quizá, de inexpertas, y se preguntó una vez más cómo había sido posible semejante milagro.

Veinticinco años tal vez, y allí estaban, sin lograr explicarse el origen de la diminuta cicatriz que nunca viera antes porque estaba plenamente seguro de que jamás había existido.

Debieron hacérsela durante la operación, en un descuido de una enfermera, pero su aspecto era más bien de herida antigua, tostada por cien soles y curada por mil aguas.

Pretendía desecharla de su mente, olvidar que existía, pero la tenía constantemente allí, ante sus ojos, y trataba inútilmente de encontrar la razón de su existencia: el porqué del insensato terror que le producía.

«No es más que una cicatriz —se dijo—. Una vieja marca de un corte que me hice, y ahora he descubierto de nuevo y me obsesiona...»

Pero... ¿Por qué le obsesionaba?

Era como si algo, en lo más profundo de su ser, estuviera gritándole que aquella cicatriz no era suya y nunca le había pertenecido por más que se encontrara en una de sus manos.

«Nada que no esté en nuestra memoria puede pertenecernos...» había leído en cierta ocasión, y comenzaba a entender el significado de aquella frase.

Volvió atrás en sus recuerdos, evocó viejas cacerías o juegos de muchacho que hubieran provocado el accidente que le dejara semejante marca, pero nada acudió a su mente. La vida, intensa vida a veces, había discurrido junto a él sin rozarle apenas, sin dejar huellas visibles, respetándole hasta el día en que, inesperadamente y sin razón aparente, su corazón falló.

Era como si, de improviso, quisieran pasarle, todas juntas, las facturas que nunca había pagado. Factura por ser rico hijo de ricos. Por ser joven, por ser inteligente, y por haber disfrutado de las más hermosas mujeres de este mundo, incluida la fabulosa Shireem Von-Willprett, de la que fue el primero en disfrutar.

Factura por haber llevado su empresa hasta la cumbre, por su poder político; por su éxito en cuantas arriesgadas aventuras inició en la vida; por su solitario egoísmo y su atractivo físico.

Factura por ser quien era, y era mucho en ese caso lo que tenía que pagar.

Y lo había pagado durante dos largos años de desesperante inmovilidad, de aterrorizada espera ante el nuevo, el último y definitivo infarto que lo arrastrara a la tumba, al vacío, a la nada.

—Nosotros podemos curarle.

El hombre mantuvo la mirada de Alain, mirada que era una mezcla de incredulidad y hastío; de impaciencia y desprecio.

—¿Cómo dice...?

—Digo que podemos curarle... —repitió convencido—. Incluso devolverle la capacidad de trabajar y hacer el amor.

Tardó en responder. Se le antojaba tan estúpido después de años de jugar a estar muerto, que no encontró —cosa rara en él— palabras con las que expresar lo que sentía. Recordó quién se lo había enviado, y su insistencia en que le escuchase.

—¡Créeme, Alain...! —había repetido una y otra vez Ralph por teléfono—. Cuanto te diga es cierto...

Y Ralph Collingwood, propietario de una de las mayores flotas marítimas del mundo, era lo bastante serio y lo bastante amigo, como para no jugar con algo tan delicado como su salud y sus esperanzas de vida.

—Explíquese, por favor... —fue todo lo que se le ocurrió decir por último.

El desconocido se arrellanó en la butaca, juntó las yemas de sus gordezuelos dedos en actitud

17

reflexiva, y se tomó también unos momentos antes de decidirse a continuar.

—Ya se lo he dicho —replicó al fin—. Podemos curarle y hacer que no tenga que volver a preocuparse de su corazón.

—¿Cómo...?

—Con diez millones de dólares pagaderos en Suiza.

Quizás esperaba una exclamación de asombro por parte de Alain, pero éste mantuvo aquella calma que los doctores venían recomendándole con tanta asiduidad.

—Ése es el «cuánto», no el «cómo»... —señaló—. Resultaría absurdo discutir el precio de mi vida, ya que no tengo otra —aclaró—, pero no me gusta pagar sin saber qué es lo que estoy comprando.

El hombrecillo sonrió y su sonrisa tenía un algo que impartía confianza. Se le advertía seguro de sí mismo, aunque sin alardes, plenamente consciente de que atesoraba la verdad entre sus manos; aquellas manos que parecían estarse acariciando mutuamente.

—Está comprando su vida, eso es todo —rió divertido—. Y únicamente pagará contra rembolso.

—¿Qué quiere decir...?

—Que entregará el dinero en el momento en que decida que está curado —rió de nuevo—. Como en los anuncios de las revistas. Le permitimos incluso probar la mercancía. Si no le interesa, la devuelve.

—No creo que sea para tomarlo a broma —señaló Alain molesto—. ¿Tiene una idea de lo que es saberse al borde de la muerte?

—Desde luego —admitió el otro ahora muy serio—. Lo mío era cáncer. Cáncer de páncreas. Mucho más rápido y doloroso que lo suyo... —Permaneció silencioso como si se hubiera sumergido de improviso en lejanos y amargos recuerdos, y cuando salió de su abstracción contempló a su interlocutor sorprendido de encontrarle allí ante él—. ¿Qué edad calcula que tengo? —inquirió de improviso.

Alain experimentó un irresistible deseo de mandarlo al infierno, pero se contuvo con un esfuerzo y estudió sin interés su rechoncha figura, sus manos juguetonas, su cabello abundante y la comisura de sus ojos y boca, donde comenzaba a distinguirse las diminutas rayas de las primeras arrugas.

—¿Treinta y cinco...? —aventuró sin querer comprometerse.

—Cuarenta y ocho... —admitió—. Los cumplí en marzo...

Negó con un gesto, convencido de que era imposible.

—No trate de engañarme... —pidió—. ¿Cómo voy a creerlo en lo demás...?

El desconocido extrajo con toda parsimonia un pasaporte del bolsillo interior de su chaqueta, lo abrió y permitió que leyera la fecha de su nacimiento: «Dieciocho de marzo de mil novecientos treinta y dos.»

—Si aún duda, puedo traerle un certificado legalizado ante la Embajada... —dijo sonriendo, aunque su expresión cambió de improviso y fue dura por primera vez—. También yo pagué —admitió—. Ocho millones... —guardó el pasaporte y se encogió de hombros con un gesto que quería ser fatalista—. Todo sube de precio... Incluso el derecho a vivir.

Durante unos minutos se observaron en silencio, y luego los ojos de Alain fueron hasta la arboleda en la que el viejo jardinero se afanaba rastrillando hojas secas. Sin saber por qué, advirtió que en esta ocasión no experimentaba tanta rabia ni tanta envidia al mirarle. Sin volverse, inquirió:

—¿Se da cuenta del daño que me hace incitándome a formar falsas ilusiones...?

—Me doy cuenta... —admitió el hombrecillo—. No soy ni un estúpido, ni un loco. Pasé por el mismo trance. El día que me desahuciaron, me quedé tan vacío, que cada palabra se repetía en mi interior como un eco. Luego, cuando ya no me quedaba más solución que pegarme un tiro o aguardar la llegada de un dolor que imaginaba insoportable, entró un hombre a verme y me hizo la misma proposición que yo le estoy haciendo, y que, si acepta, tal vez tenga usted que hacer alguna vez a algún otro...

—¿Y pagó esos ocho millones sin dudar...?

—¿Qué otra cosa podía hacer? Me curaron y le juro que jamás ha existido para mí un dinero mejor empleado.

Alain Remy-Duray tomó la tarjeta que había dejado sobre la mesita, y leyó de nuevo el nombre con mayor atención: Samuel Goetz. Hizo un gesto de asentimiento como si cayera en la cuenta de algo en lo que no había reparado con anterioridad.

—¿Goetz? ¿El productor?

—Goetz, Junior... La empresa la fundó mi padre y yo me he limitado a seguir sus pasos...

—Con éxito... Ha producido algunas de las mejores películas de los últimos años.

Asintió con un gesto de modestia, aunque se le advertía satisfecho de sí mismo y de su obra.

—En cierto modo creo que me pidieron que viniera porque nuestras historias son semejantes... Hijos de millonarios que supimos ganar más millones aún... Imaginarían que acabaríamos entendiéndonos...

—«Imaginarían»... ¿Quién lo imaginaría?

La expresión de Samuel Goetz cambió endureciéndose de nuevo.

—No estoy autorizado a decírselo... —admitió—. Sólo si decide aceptar el trato, sabrá más cosas... —Hizo una leve pausa—. No muchas... —admitió en un gesto de honradez—. En realidad, ni siquiera yo mismo sé mucho más a estas alturas...

—¿Y no le importa...? —inquirió Alain sorprendido.

Samuel Goetz se puso en pie y se aproximó al balcón desde el que contempló a su vez al jardinero que empujaba ahora una carretilla rebosante de hojas húmedas. No se volvió y daba la espalda a su interlocutor cuando replicó con voz grave.

—Lo único que me importa es estar aquí y seguir haciendo películas y disfrutando de la vida

—agitó la cabeza incrédulo—. A estas alturas ya me habría convertido en un montón de huesos unidos apenas por jirones de carne hedionda y putrefacta, pero acabo de ganar un «Oscar» y me acuesto dos veces por semana con la «estrella» del momento. —Se volvió y le miró a la cara con fijeza casi molesta—. ¿A cambio de qué...? —inquirió—. A cambio de no hacer preguntas, y de que unos números de mi cuenta corriente se alterasen un poco. ¡Números...! —repitió con intención—. Ni siquiera dinero contante... —sonrió apoyándose en el quicio del balcón—. ¿Se da cuenta de que, a nuestro nivel, ni siquiera existe ya el dinero...? No lo vemos nunca... Se ha transformado en cifras que vienen y van de un lado a otro... Hoy están aquí, mañana pueden no estar... ¿Entiende lo que pretendo decirle...?

—Lo entiendo... Just Elliot lo expuso muy bien...: «Sólo se empieza a ser verdaderamente rico cuando se deja de manejar dinero...» —Alzó el rostro y le miró a los ojos con fijeza—. No es el dinero lo que me preocupa... —añadió—. De nada va a servirme, ni de nada me sirve ya... —sonrió como disculpándose, con sonrisa de muchacho que piensa cometer una travesura divertida—. Pero recuerde que yo dirijo una cadena de periódicos... —señaló—. Tal vez sea deformación profesional, pero me preocupa el «cómo» van a curarme, casi tanto como el hecho de que me curen... Me comprende, ¿verdad?

—No. En absoluto... —fue la sincera respuesta—. Lleva el suficiente tiempo al borde de la muerte como para saber que nada es más importante que la vida... ¡Nada! —repitió convencido, y luego, con gesto espontáneo, casi apasionado, sacó su cartera, buscó en ella nervioso, y le tendió una fotografía, que Alain observó un instante; lo justo para advertir que se trataba de una mujer desnuda en actitud sonriente y provocativa.

Reconoció su rostro. Aparecía cada semana en las revistas de cine desde hacía seis meses por una u otra razón.

—¡Esto es la vida...! —insistió Samuel Goetz tomando asiento a su lado y colocándole la rechoncha mano sobre su brazo—. Verla reír, comer, desnudarse o tirarse a una piscina... Gozar de ella y hacerla gozar... Incluso sufrir cuando sé que va a pasar la noche con un actorcito al que yo mismo estoy pagando para que se haga famoso a su lado... —agitó la cabeza con pesar—. Todo es vida... ¡Todo!; incluso morirse... Todo, excepto quedarse ahí, inmóvil, esperando el fin.

Alain tomó de nuevo la foto, la estudió con detenimiento y se la devolvió con una leve sonrisa de aprobación.

—Una mujer maravillosa —admitió—. Le felicito, y le felicito por su capacidad de convencer a un hombre clavado en un sillón al que los médicos han asegurado que el simple intento de hacer el amor le llevará a la tumba.

—¿Más rápidamente que un cáncer de páncreas...? —inquirió el productor—. ¡Bien...! —se puso en pie dispuesto a marcharse dando por concluida la conversación—. Le dije cuanto tenía que decirle... Soy un hombre rico; probablemente más rico que usted, y no ganaré un céntimo tanto si acepta como si se niega —se encaminó a la puerta y se volvió desde ella sonriendo con gesto amistoso—. Pero recuerde que soy la prueba viviente de que puede salvarse... Estaré una semana aquí, en París... En el «George V»... No dude en llamarme cuando lo haya meditado. Aunque debe tener una cosa muy presente...: le daré la solución, pero nunca le darán respuestas.

Contempló una vez más la cicatriz de su mano, y comprendió que, en cierto modo, era parte de la solución aunque no encontrase para ella ninguna respuesta.

Ni siquiera el doctor Ericsson quiso darle esa respuesta, y se limitó a encogerse de hombros.

—Las cicatrices no aparecen y desaparecen, así, sin más —señaló—. Su memoria le está jugando una mala pasada.

Pero la memoria de Alain siempre había sido excelente y lo sabía. Ericsson no accedió, pese a ello, a discutir el tema.

—Deje de obsesionarse por cosas sin importancia —rogó—. Y concéntrese en los ejercicios que le he ordenado. El traumatismo de la operación es tan intenso que se podría decir que su cuerpo es nuevo. Tiene que acostumbrarse a él —sonrió divertido—. Ponerlo en «rodaje» como si se tratase del motor de un automóvil.

—A veces tengo la impresión de que me duelen hasta las uñas —admitió—. Es como si se me hubiesen oxidado las articulaciones.

—Dentro de quince días todo habrá pasado —prometió, e hizo ademán de querer retirarse, pero Alain le retuvo por una mano obligándole a permanecer a su lado. Por los ojos del médico pasó una sombra de inquietud, pero se esforzó sobreponiéndose.

—¿Qué ocurre? —inquirió con suavidad.

—¿No va a decirme qué han hecho conmigo? —quiso saber—. Hace días que espero una respuesta.

El rostro, afilado, surcado de arrugas e inteligente de Ericsson, se alteró, dudó, pero tomó asiento al borde de la cama. Su voz sonó profunda, distinta y lejana, como si no fuera él quien hablaba, sino que se limitase a repetir una lección aprendida de mala manera.

—Le han curado —dijo muy despacio—. Ya no tiene que temer por su corazón o por su vida. Tan sólo un accidente podría matarle... —guardó silencio contemplando como hipnotizado la mesilla de noche, y sin dejar de mirarla, como si no consiguiera apartar de ella la vista, añadió—: Es todo cuanto puedo decir.

Resultaba evidente que Alain se negaba a aceptar tan magra explicación.

—¿Y quién puede decirme algo más? —quiso saber.

Ericsson le miró a los ojos y su tono era sincero.

—Nadie —puntualizó—. No creo que nadie, nunca, le aclare nada. Usted aceptó que así sería, ¿no es cierto?

Aun contra su voluntad, Alain apuntó una especie de gesto de asentimiento. Aquél era el trato que había hecho durante la segunda visita de Samuel Goetz y aquéllas eran las estrictas condiciones bajo las que se habían comprometido a salvar su vida; no hacer preguntas, y diez millones de dólares.

El regordete productor pareció sentirse el hombre más feliz del mundo al comprender que había vencido todas sus reticencias.

—¡No se arrepentirá...! —exclamó gozoso—. Le aseguro que nunca se arrepentirá... ¡Bien venido al «Club de los Elegidos»!

—¿Elegidos? ¿Por qué? —quiso saber Alain—.

¿Porque podemos pagar una fortuna por vivir? ¿Qué hay de los otros? ¿De los que no disponen de esa cantidad...? ¿Acaso no tienen también derecho a la vida...?-

—Supongo que sí... —admitió Goetz—. Pero por el hecho de que no les concedan una oportunidad, no vamos a rechazarla nosotros, ¿no cree...?

Recordando sus palabras, Alain se dirigió ahora a Ericsson:

—¿Operan alguna vez a alguien que no tenga dinero para pagar?

—No, nunca... —fue la sincera respuesta—. Sólo operan a aquéllos para los que ese dinero no significa demasiado.

—¿Y todos se han comprometido a guardar silencio? —insistió—. ¿Nadie se ha rebelado nunca? —agitó la cabeza incrédulo—. Tienen ustedes la posibilidad de salvar a miles, tal vez a millones de seres humanos, pero prefieren enriquecerse explotando a unos pocos... Cualquier organismo oficial ofrecería una fortuna por sus conocimientos...

Ericsson negó con un gesto y se diría que sus manos rechazaban de plano, instintivamente, la idea de revelar al público su forma de trabajar.

—¿Tiene usted una idea de lo que significaría divulgar nuestros sistemas...? —inquirió—. Todos, «absolutamente todos» los seres humanos querrían figurar entre los favorecidos, sanar de sus enfermedades, y mantenerse siempre jóvenes y activos... Y eso es imposible.

—¿Por qué...?

—Porque el personal capaz de llevar a cabo esta labor es muy escaso... Y los precios prohibitivos... —hizo una larga pausa—. ¡Hágame caso...! —rogó—. Disfrute de lo que le dan, ¡viva! y no se preocupe de nada más.

Era fácil decirlo. También era fácil hacerlo, desde luego. Vivir era lo más sencillo del mundo, teniendo en cuenta que disponía de casas, yates, aviones, amigos y mujeres hermosas dispuestas a compartir con él sus riquezas. Comenzó a hacer sus planes: estaría en condiciones de reanudar su actividad justo con los primeros calores; justo cuando llegaba la época más bella del año a Cap-Ferrat, y las playas de la Costa se cubrieran materialmente de muchachas con los pechos al aire.

Pondría el yate a flote; lo sacaría del astillero en que llevaba años aguardando una reparación por la que nadie parecía tener prisa y abriría la casa de la playa.

Pasó lista mental a «sus» mujeres, y se preguntó qué habría sido de ellas en aquel tiempo. Algunas le habían visitado en los primeros días, solícitas y sonrientes, pero pronto, cuando resultó claro que «el pobre Alain» no tenía remedio, se fueron distanciando, no tanto quizá por falta de interés, como por el hecho, indiscutible, de que a nadie le gusta la compañía de un enfermo que ni se cura ni se muere.

No cabía esperar gran cosa tampoco de aquellas mujeres. Ninguna le ofreció nunca nada que valiera la pena, probablemente porque tampoco él lo pidió. Viajaban juntos, hacían el amor con mayor o menor fortuna, y compartían docenas de cigarrillos de marihuana, pero nada más. Muchas intentaron convertirse en Madame Remy-Duray por uno u otro medio, pero siempre supo ingeniárselas para evitarlo, y la mayoría no se lo perdonó...

Se acostó con ellas, tuvo de casi todas lo mejor —lo único que podían darle—, y a cambio no les ofreció más que viajes, vestidos, y alguna que otra joya de buen gusto y precio acorde con la calidad de la «mercancía» recibida. No era mucho —siempre estuvo de acuerdo en eso—, pero Alain tenía la triste experiencia de que si era mucho lo que se daba, no se recibía jamás el equivalente a cambio.

¡Shireem...!

Una vez más acudía a su mente cuando pensaba en mujeres y en el pasado. Y es que para Alain, Shireem significaba la conjunción de ambos conceptos: pasado y mujer. No existía prácticamente nada desde sus tiempos de adolescente, que no estuviera ligado a la imagen de Shireem, y no existía tampoco mujer alguna a la que no hubiera comparado, de una forma u otra, a Shireem.

¿Por qué razón no había luchado entonces por recuperarla?

Al tercer año, ya Alain tenía la certeza de que el matrimonio Von-Willprett no funcionaba y tuvo que impedir la publicación en una de sus revistas de las comprometedoras fotografías de Shireem abandonando a escondidas la casa de un cantante de moda. En su rostro podía leerse aquella expresión, entre temerosa, feliz y divertida, que Alain recordaba de tantas veces en que habían abandonado juntos un discreto hotel, siempre con el miedo de que algún miembro de la familia pudiera descubrirles.

Le hubiera resultado fácil —cuando el cantante continuó su gira para no volver nunca— intentar reanudar sus relaciones, caliente aún quizás el recuerdo del tiempo pasado juntos, y hubiera bastado para ello tal vez una llamada telefónica, un «encuentro fortuito» en la calle o una fiesta en casa de amigos comunes, pero Alain luchó consigo mismo para no hacer esa llamada, no pasar por su calle, no asistir a fiestas en las que tuviera ocasión de encontrarla.

Alain amaba a Shireem; la había amado y deseado más que a nada en su vida, y tal vez por ello no se sentía capaz de poseerla de nuevo, sabiéndola al mismo tiempo de otro hombre; de uno que la tenía cada día y cada noche, a cada hora; según su capricho, con propiedad plena, mientras a él le quedaban tan sólo las migajas del festín; las horas o los minutos que quisiera dedicarle sin poner en peligro su estabilidad matrimonial.

Ocho años más tarde Klaus Von-Willprett murió en accidente, y Shireem pasó a convertirse en una de las mujeres más ricas, hermosas y acosadas de la alta sociedad. *Play-boys* profesionales de impecable técnica acudieron desde los más distantes rincones con la sana y noble intención de consolar a tan maravillosa viuda aliviándola de algunas de sus cargas, pero Alain decidió una vez más mantenerse al margen, limitado al papel de testigo neutral de una desbocada carrera hacia la cama y los millones de Shireem, pero asistiendo al progresivo y rápido endurecimiento del carácter de la que había sido dulce muchacha.

Acostumbrada desde la pubertad a que los hombres la persiguieran admirándola y deseándola por sí misma, su cuerpo, su rostro o su simpatía e inteligencia, Shireem no soportó, sin embargo, el enfrentamiento al hecho de que podía ser ahora su inmensa fortuna lo que los atrajera.

Le bastaba mirarse al espejo para comprender que continuaba siendo tan atractiva como siempre, o quizá más, ya que había ganado en madurez y personalidad, pero le bastaba también con mirar a su alrededor, para comprender que las fábricas, acerías, empresas navieras o fincas que Klaus Von-Willprett le había dejado, pesaban tanto en el ánimo de sus pretendientes como sus inmensos ojos, por hermosos y expresivos que fueran.

Cuando un hombre le hacía el amor, y lo veía esforzarse en su afán por hacerla disfrutar, le asaltaba de inmediato la duda de si se estaría esmerando con el propósito de conseguir un mutuo y maravilloso orgasmo, o con el fin de atraparla a través de tal orgasmo y trepar por él hacia sus fábricas, sus altos hornos, o sus compañías navieras.

De ese modo, al tenerlo todo, la que había sido una mujer segura de sí misma, pasó a convertirse en avara de su risa, y su mirada, antaño eternamente asombrada, se mostraba ahora alerta e inquisidora, desconfiada siempre, y Alain fue, desde lejos, el único que supo captar la naturaleza y el porqué de ese cambio, ya que seguía siendo quien mejor la conocía y la conocería nunca.

Recordaba cómo le gustaba tumbarse en la cama, desnuda, permitiendo que él la contemplara largamente para ver cómo iba excitándose tan sólo de mirarla, y cuando, en ocasiones, conseguía derramarse sobre ella sin necesidad de tocarla, gemía de placer, gritaba de entusiasmo, y acababa riendo feliz mientras corría a la ducha.

Eso, y su necesidad de verse en un espejo cuando hacían el amor, su forma de cambiar, de moverse o agitar el cabello, y las largas charlas tumbados en la cama durante aquellos inolvidables meses en los que la niña se convirtió en mujer, hacía que Alain estuviera en condiciones de comprender claramente las razones del súbito cambio en su personalidad.

El doctor Ericsson sabía su oficio. A las tres semanas Alain paseaba por el jardín, comía cuanto se le antojaba, nadaba suavemente en la tibia piscina y experimentaba una erección cada vez que una diminuta enfermera, de grandes pechos y rotundo trasero, le masajeaba el cuello.

Una tarde le bajó las bragas y le hizo el amor allí, de pie, junto a la puerta, mientras ella vigilaba por una rendija, dándole la espalda para que nadie les sorprendiese inesperadamente.

Eso le remontó a los años en que, siendo apenas un muchacho, le hacía el amor de la misma forma a la hija de los guardeses y evocó su olor y sus gemidos, tan semejantes al olor y el gemir de la enfermera, preguntándose cómo era posible que no sólo sus manos, sino todo su cuerpo, hubiesen recuperado de aquel modo la juventud y la potencia.

Lo consultó con Samuel Goetz que venía a visitarle dos veces por semana, y éste estalló en una divertida carcajada.

—¡Verá de lo que es capaz cuando se sienta bien del todo…! —replicó entusiasmado—. A mi edad me encuentro más potente que cuando era muchacho… —le hizo un guiño de picardía—. ¿Me creería si le digo que a Lisa cada día le interesan menos los actorcitos…?

Tomaron asiento en un banco y contemplaron el gran parque rodeado de altos muros, hasta que Alain se volvió, pensativo, a su acompañante.

—¿A qué lo atribuyes...? —inquirió—. ¿Cómo es posible que hayamos recuperado, mágicamente, la salud y el vigor de nuestros mejores años...?

—Maravillas de la ciencia.

—¿Ciencia...? —repitió—. ¿Está convencido? Esto parece ir más allá de la ciencia. Si no fuera quien soy, diría que es milagro. O brujería.

—Ciencia, Alain... Pura ciencia —insistió el americano—. ¿Por qué admite que hayamos vencido al espacio, llegando a la Luna, y no podamos vencer también al tiempo...? Según las modernas teorías, están directamente relacionados, ¿no es cierto?

Le miró a los ojos tratando de averiguar si era eso lo que en realidad creía, o estaba intentando burlarse de él, y Goetz lo comprendió porque hizo un ademán con las manos como rechazándolo.

—¡Vamos! —pidió—. No me haga caso... No creo de verdad que se trate de una relación «espacio-tiempo». No va por ahí la cuestión, estoy seguro... —Hizo una larga pausa meditando—. Habrán descubierto alguna glándula que invierte los factores del envejecimiento. —Se acarició la comisura de la boca y los ojos—. Día a día me desaparecen las arrugas de la cara que eran las únicas que quedaron cuando la operación... A usted le ocurrirá igual.

—Ericsson me lo ha dicho —admitió—. La cara tarda meses y aun años en rejuvenecer... ¿Por qué?

—¡No lo sé! —admitió el judío. Y en su rostro, ancho, mofletudo y satisfecho, apareció, por un instante, una mueca de contrariedad—. ¡Existen tantas cosas que no logro explicarme...! —Pareció estar muy lejos de allí, inmerso en sus pensamientos, pero volvió a la realidad agitando la cabeza para desechar sus ideas—. Pero no voy a preocuparme por ello —señaló—. Es una promesa que nos hemos hecho y pienso cumplir.

—¿«Nos»? —La pregunta tenía una intención que el otro captó de inmediato.

—Nos reunimos de vez en cuando —admitió—. Conozco a siete u ocho, aunque tengo entendido que debemos ser unos cuarenta... Gente interesante... —admitió—. Hemos pensado incluso en la posibilidad de ayudarnos mutuamente... ¿Le interesaría conocerlos?

—¿Para qué? —Alain se había puesto en pie e iniciaba un lento paseo a lo largo del alto muro cubierto de hiedra que trepaba formando caprichosos dibujos—. ¿Para qué? —repitió cuando el hombrecillo se colocó a su altura y trotó intentando mantener su paso—. ¿Para formar una especie de «sociedad secreta» de los elegidos?

Samuel Goetz le tomó por el brazo obligándole a detenerse y mirarle. Había una extraña decisión en sus palabras y de improviso se mostró como realmente debía ser en su trabajo: fuerte, convincente y agudo.

—¿Por qué no? —quiso saber—. ¿Qué hay de malo en ello...? Deseche de una vez ese complejo absurdo que le está invadiendo. No tenemos la culpa de que la sociedad esté mal planteada desde el comienzo de la Historia... Yo no he robado a nadie... Y usted, por lo que sé, tampoco. Arriesgamos nuesto dinero en periódicos, revistas o películas; producimos riqueza y proporcionamos trabajo. Cuando nos equivocamos, vamos a la ruina y nadie nos ayuda. A cambio, cuando acertamos, debemos tener derecho a disfrutar de los beneficios... —sonrió—. Y ésta es una maravillosa forma de disfrutar sin hacer mal a nadie, ¿no le parece...?

Alain no supo qué responder. Reanudó su paseo y buscó en su mente a quien estaban causando daño por el hecho de invertir parte de su fortuna en que le devolvieran la salud perdida y un pedazo de su lejana juventud. Hubo de reconocer que, en cierto modo, Samuel Goetz tenía razón: Estaban en su derecho al gastar de ese modo su dinero.

—Está bien... —admitió—. Quizá todo se deba a que aún me siento desconcertado... Necesitaré tiempo para adaptarme...

Cinco días más tarde el doctor Ericsson consideró que había pasado todo peligro, las cicatrices estaban desapareciendo, y era ya hora de regresar a casa, a reanudar una vida normal.

—Resultará inútil recalcarle, una vez más, la necesidad de guardar silencio —fue su última recomendación—. Recuerde que es parte de nuestro trato. No puede hablar de lo ocurrido.

Eran ésos los detalles que a Alain le desagradaban y le hacían sentirse en cierto modo cómplice de una acción reprobable. Hubiera deseado protestar una vez más, pero desde el momento en que pisó de nuevo el umbral de su casa, o mejor aún, desde el momento en que volvió a tomar asiento tras su amplia mesa de despacho en el último piso de la «Tour Miroir», sus reticencias quedaron relegadas al olvido.

Su secretaria personal, Claudine, rubia, pizpireta y de enormes ojos eternamente divertidos, soltó, al verle, una de las risas más escandalosas de su ya larga carrera de risitas histéricas e inoportunas.

—¡Oh, señor Alain! —chilló apretando los puños—. ¡Qué alegría verle aquí de nuevo...! ¡Y qué guapo le han dejado...!

Luego, en el transcurso de la mañana, fueron acudiendo, uno por uno, los presidentes, directores o altos ejecutivos de sus innumerables empresas, pero fue a primera hora de la tarde cuando llegó la visita que aguardaba con auténtica impaciencia. Claudine la anunció por el interfono:

—Su primo René, señor... ¿Puede pasar?

—Que espere un momento.

Lo dejó reposar media hora en la antesala, seguro de que se le estaban comiendo los nervios mientras hojeaba el ejemplar del día de aquel *Le Miroir* que ya debía considerar prácticamente suyo.

Cuando lo supo a punto, abrió de un golpe la puerta y acudió a recibirle con una sonrisa, un apretón de manos y una euforia que tuvieron la virtud de desmoralizar por completo a su ya desconcertado y balbuceante primo.

—¡René...! —exclamó con mal fingida alegría—. Cuánto te agradezco que hayas acudido tan rápidamente.

Los saltones y un tanto miopes ojos negros de René le miraban con la misma expresión con que pudiera haber mirado a un muerto decidido a escapar de su ataúd. Sacudió la cabeza incrédulo, y al fin, tartamudeando, articuló con un supremo esfuerzo:

—Acabo de enterarme de tu regreso... Te creía en la clínica...

—Me han dado de alta... ¡Ven...! Pasa y toma una copa...

René le siguió como un «zombie», incapaz de hacerse a la idea de que aquel hombre que marchaba ante él con paso atlético y ademanes desenvueltos, fuera el mismo que se había ido consumiendo ante su vista en una irreversible carrera hacia la tumba.

Sintió como si todo diera vueltas a su alrededor, y se esforzó por conseguir que las ideas fueran ordenándose en su mente. A las diez de la mañana se había despertado como cada día, cuando la camarera entraba trayéndole el desayuno y un ejemplar de *Le Miroir*, uno de los matutinos de mayor tirada de París, que muy pronto tan sólo seguiría la línea informativa que él mismo dictara. Un periódico para el que incluso había pensado ya nuevo director, y que habría de catapultarle en poco más de un año a un sillón del Congreso y una imparable carrera política y social.

Casi a las once se levantó, tomó un baño, se afeitó y se disponía a encaminarse al club, a jugar su cotidiana partida de «Back-Gamon», cuando repicó el teléfono y la voz de su madre sonó, nerviosa y destemplada al otro lado del hilo.

—¡René, querido...! —farfullaba entrecortadamente—. ¿Te has enterado de lo de Alain...?

El corazón le había dado un vuelco de alegría.

—¿Ha muerto...?

—¿Muerto...? Está en su despacho de la «Torre». Trabajando...

En un principio se negó a creerlo, pero allí estaba, en efecto, en aquel despacho que muy pronto tenía que ser suyo, dirigiéndose al mueble-bar para verter chorros de coñac en dos gigantescas copas abombadas.

—¡Pero bueno...! —inquirió sin aliento—. ¿Puedes beber?

Alain disfrutaba con la escena, y le entregó una de las copas mientras bebía larga y ostentosamente de la otra. Luego le ofreció un habano; un auténtico «Davidoff» recién importado.

—Puedo beber, fumar, comer, nadar, subir montañas e incluso hacer el amor cinco veces en una noche... —rió mientras encendía su puro—. Dime... ¿Has logrado hacer el amor cinco veces en una noche...? ¡Es fantástico...!

René no supo qué responder. Permanecía como alelado con el puro en una mano y la copa en otra, siguiendo con la vista a su primo que iba de un lado a otro en un auténtico derroche de energía mientras lanzaba bocanadas de espeso humo que tan sólo interrumpía para paladear el espléndido licor.

—Me consta cuán interesados habéis estado por mi salud... —comentó Alain entre sorbo y sorbo—. Pero os alegrará saber, supongo, que ya no corro peligro... Los médicos me han pronosticado que viviré hasta los ochenta... Como mi padre...

René se atragantó. Con el humo o con el licor, no le importó saber con qué. En realidad, se atragantó con la idea de que *Le Miroir* no sería suyo hasta dentro de cuarenta años.

—¿Cómo es posible...? —borbotó al fin, incapaz de aceptar la realidad—. ¿Cómo es posible...? Te estabas muriendo.

—La ciencia, mi querido muchacho... ¡La ciencia...! —Alain había tomado asiento en su sillón, tras la mesa; aquel sillón en el que ya René se había sentado más de una vez, a hurtadillas—. Una pequeña operación, unas cuantas pastillas, el culo como un acerico, y a casa...

—Ya veo... —admitió su primo de mala gana—. Tienes un aspecto magnífico... ¡Nunca lo hubiera creído...!

—Yo tampoco... —fue la sincera respuesta—.

Pero ha ocurrido. —Su tono cambió de pronto, endureciéndose, al tiempo que se inclinaba hacia delante en la mesa y sus ojos brillaban con una nueva luz—. Y voy a comunicarte algo para que lo trasmitas a la familia y ahorrarme tener que repetirlo. ¡No voy a morirme !—señaló—. Y voy a casarme, tener hijos que me hereden y evitaros la molestia de nuevas discusiones sobre quién se quedará con mis despojos... Sé que casi llegas a las manos con el tío Francis por *Le Miroir*, y que tu hermana llamó puta a Noelle y le contó a su marido lo del lío con el pintor, porque había pretendido quedarse con la casa de Cap-Ferrat... —Agitó la cabeza incrédulo—. ¡Dios...! Sois como buitres... A punto estuve de donarlo todo a los refugiados vietnamitas, y si no lo hice fue porque hasta para eso me faltaban fuerzas... —Se interrumpió y exhaló humo suficiente como para hacer desaparecer por un instante a su interlocutor—. Pero ahora soy el Alain de antes... —continuó—. Más fuerte que antes... —puntualizó—. Y nadie se va a quedar con lo que es mío... ¿Está claro?

René Remy hizo un mudo gesto de derrotado asentimiento, y Alain asintió a su vez y señaló la puerta.

—En ese caso, acaba tu coñac y márchate —pidió—. Tengo mucho trabajo... Puedes llevarte el puro...

Dignamente, todo lo dignamente que le permitía el desatado temblor de sus rodillas, y las incontenibles ganas de devolver que le habían asaltado de improviso, René Remy se puso en pie, abandonó copa y puro, y se encaminó a la puerta. Abrió, pero antes de salir se volvió aún, casi inconscientemente, a dirigir una última mirada cargada de desesperanza, a aquel maravilloso despacho desde el que se dominaba París, y que hasta unos minutos antes había considerado prácticamente suyo. Un estertor, casi un sollozo escapó de su garganta, y luego, dando media vuelta salió cerrando a sus espaldas.

Alain permaneció muy quieto contemplando la puerta, y al llevarse de nuevo el puro a la boca, sus ojos quedaron clavados en la cicatriz de su mano. Una vez más, experimentó angustia ante lo desconocido; un terror ilógico que aún no sabía cómo combatir.

Bebió de un trago lo que quedaba de coñac y se sirvió otro. De improviso, sin meditarlo, experimentó un impulso irrefrenable que no supo de dónde llegaba y apretó el botón del intercomunicador.

—¡Claudine! —llamó—. Póngame con Shireem Von-Willprett, por favor.

Permaneció luego muy quieto en su sillón fumando y pensando, arrepentido de su acción, pero incapaz de revocar la orden, convenciéndose a sí mismo de que si decidía iniciar una nueva vida, no debía permitir que el recuerdo de Shireem continuara interponiéndose en su camino.

Sonó el teléfono, lo tomó, y la voz de Claudine hizo que su corazón latiera con tanta fuerza que, meses atrás, le hubiera provocado un nuevo síncope.

—Madame Von-Willprett al aparato, señor —dijo y se escuchó el «clic» de la palanca al cambiar de lugar. Aspiró como temiendo que fuera a faltarle aire.

—¿Shireem...?

—¿Sí...?

—Soy Alain. Tu primo.

—Lo sé... —Su voz seguía siendo la misma; quizás un poco más ronca—. Tu secretaria me lo ha dicho. ¿Cómo te encuentras...?

—No voy a morirme, si es a eso a lo que te refieres... Me han operado y podría correr el próximo «Tour de Francia».

Se hizo un silencio. Shireem Von-Willprett debía encontrarse bastante sorprendida, ya que sus últimos informes aseguraban que «primo Alain no llegaría a Navidad...».

—Me alegra... —dijo al fin sin inflexión alguna en la voz, como si acabaran de comunicarle que su sobrinito había aprobado el curso—. ¿En qué puedo ayudarte?

Alain experimentó un brusco deseo de colgar el

teléfono, pero intentó sobreponerse. Shireem debía haberse acostumbrado a que nadie —y menos aún un pariente lejano— la llamara si no era para pedirle algo.

—No necesito nada, gracias —replicó esforzándose por contener su ira—. Los negocios van bien y tengo más dinero del que podré gastarme nunca.

—Eso es bueno...

«Hija de puta», masculló para sus adentros, y su mano se crispó sobre el auricular al añadir en voz alta.

—Simplemente me apeteció verte después de tantos años... Quería invitarte a cenar.

De nuevo el silencio, y Alain casi pudo escuchar los pensamientos de Shireem, calculando si valía o no la pena arriesgarse admitiendo que se trataba tan sólo de una simple invitación, o vendrían más tarde las peticiones de dinero cuando resultara difícil negarlo cara a cara.

—Te llamaré en una hora... —dijo, y colgó.

Muy propio de Shireem, admitió. Muy propio de la mujer en que se había convertido, y que necesitaba de ese tiempo para reflexionar y consultar a sus asesores financieros sobre la situación económica de la «Cadena Remy-Duray».

Exactamente una hora y dos minutos más tarde, Claudine comunicó por el interfono.

—Ha llamado el secretario de Madame Von-Willprett —dijo—. Cenará con usted a las nueve en el «Beluga».

Se limitó a dar las gracias, levemente molesto por el tono de reproche que pudo advertir en la voz de Claudine, molesta a su vez, sin duda, por el hecho de que su amado patrón aceptase semejante trato por parte de una vieja zorra que se creía dueña del mundo.

A las nueve en punto, Alain ocupaba la más discreta y apartada mesa del comedor del sótano del «Beluga», advirtiendo cómo su ansiedad crecía a medida que pasaba el tiempo, negándose a aceptar aún que estaba a punto de ocurrir lo que durante tantos años se esforzara por evitar: su reencuentro con Shireem...

Iba ya por el segundo vodka y comenzaba a temer que no vendría, cuando la vio aparecer al pie de la escalera, precedida por el obsequioso *maître* que parecía tener en ella a una de sus más distinguidas y habituales clientes.

Se puso en pie y tendió la mano sin apartar los ojos de aquel rostro que llevaba siempre presente en su mente. Los años no habían pasado en balde. Continuaba siendo una mujer hermosa y sus facciones conservaban la regularidad y perfección de antaño, pero la piel había perdido su tersura y suavidad, los ojos no brillaban ya pícaros o asombrados, y aquel pecho, rotundo y provocativo, que alzaba al cielo desafiando todas las leyes de la gravedad, había humillado al fin su orgullo y precisaba de la ayuda de un traje muy bien cortado para continuar manteniendo su firmeza.

Tomaron asiento uno frente al otro, y se observaron largo rato, en silencio, interrumpidos tan sólo por el ademán con que ella solicitó también un vodka. Al fin trató de sonreír sardónica.

—¿Y bien...? —inquirió, y se podría pensar que, aun contra su voluntad, se adivinaba una levísima ansiedad en su pregunta.

—Estás muy guapa... —admitió—. Por ti no pasan los años...

—No mientas... —pidió—. Han transcurrido casi veinticinco desde la última vez que nos vimos... Y en octubre seré abuela... ¡Abuela...! ¿Te imaginas?

—La abuela más bonita del mundo, sin duda... —sonrió galante—. Yo, sin embargo, no tengo ni siquiera un hijo.

—Lo sé... —El *maître* había hecho su aparición trayendo el menú y lo consultaba con atención, pese a que continuaba hablando sin mirarle a la cara—. Me contaron que se desencadenó una pequeña guerra con respecto a tu herencia... Caviar y pato —ordenó devolviendo la carta—. Todos te daban por muerto... ¿Cómo es que cambiaste de idea?

—Lo mismo para mí... —rogó, y cuando el hombre se hubo alejado, la miró y se encogió de hombros como disculpándose por una pequeña travesura sin importancia—. Decidí que no me apetecía morirme así, tan tontamente...

—Pero tuviste tres infartos...

—Cuatro... —puntualizó—. Lo cierto es que di sobrados motivos para confiar en heredarme...

Ella le observaba con atención, como si le estudiara o tratara de reconocer en él al muchacho de otro tiempo. No había, sin embargo, brillo alguno de especial interés en sus ojos; era más bien una especie de frío análisis y el tono de su voz sonó casi neutro cuando admitió:

—La verdad es que nadie lo diría viéndote... —Hizo una pausa, y luego, con la misma entonación, inquirió—: ¿Por qué me has evitado todos estos años...? —rió sin ganas—. A medida que te ibas haciendo más importante, la gente dejaba de invitarme si quería contar contigo.

—¡Eso es absurdo...! —intentó protestar—. Jamás lo comenté con nadie...

—No hace falta comentarlo... —se interrumpió aguardando a que el camarero que había traído el caviar les dejase solos nuevamente—. Alguien, algún día, debió darse cuenta, ató cabos y corrió la voz... Si entonces no sospecharon que nos acostábamos juntos, ahora lo imaginan...

—Lo lamento —se disculpó—. No era mi intención comprometerte...

—¡Oh, vamos...! —rió ella—. Mi reputación no puede hundirse más, ni es eso lo que me preocupa... Pero me llama la atención que hayas mantenido tanto tiempo esa actitud y ahora, de improviso, cambies de idea... ¿Por qué?

Alain Remy-Duray hubiera deseado dar una respuesta exacta, pero en el fondo tampoco estaba muy seguro de las razones que le habían impulsado a llamarla y reunirse con ella. La contemplaba mientras comía con exquisita delicadeza cucharadas de caviar acompañado de discretos mordiscos a la tostada con mantequilla, y trataba de averiguar qué parte de ella continuaba siendo la Shireem que había amado tanto, y qué parte pertenecía a una nueva mujer con la que nunca tendría nada en común. La recordaba mordisqueando de igual modo un «perro caliente», con la mostaza chorreándole por la barbilla y riendo mientras él trataba de limpiarla, y se vio obligado a admitir que aquella muchacha espontánea y libre, no se parecía en nada a la sofisticada matrona que se sentaba frente a él.

Las arrugas marcaban ya la comisura de sus ojos y, sobre todo, endurecían su boca y afeaban su cuello, mientras sus manos, aquellas manos cálidas y vivas, a las que bastaba un simple contacto para conseguir una erección inmediata, eran ahora unas manos delgadas, de largas uñas y piel cuarteada, y al mirarlas, Alain tuvo, instintivamente, que mirar a sus propias manos, buscando en ellas la cicatriz que le obsesionaba. Allí seguía, impertérrita y acusadora, inquietante siempre, causándole un profundo malestar que no sabía a qué atribuir.

Se esforzó una vez más por desechar los temores que le invadían cuando pensaba en la cicatriz, y sonrió tratando de recordar la pregunta que acababa de hacerle.

—¿Por qué? —repitió un poco tontamente—. No lo sé... Mi vida ha cambiado y pensé que sería bueno que cambiara también respecto a ti... Cuéntame cosas... —pidió—. ¿Cómo te ha ido en este tiempo...?

Ella se encogió de hombros como si el tema no tuviese mucho jugo que extraer.

—¡Bien...! —admitió—. Klaus me dejó una fortuna y papá otra... Hacienda opina que debo ser una de las mujeres más ricas del mundo...

—¿Y eso te hace feliz...?

—Nadie ha puesto una *boutique* en la que vendan felicidad, sea cual sea su precio... —replicó—. A veces, durante unos días, crees haber encontrado algo parecido, pero suele ser un espejismo... —Bebió hasta apurar su copa de vino, y luego, casi inesperadamente, señaló—: Nada comparable, desde luego, a aquel verano del cincuenta y cuatro.

—Fuiste tú quien se casó con otro... —señaló

Alain sin hacer demasiado hincapié en la frase.

—¡Desde luego...! —admitió Shireem con la misma naturalidad—. Y no es que me arrepienta... Lo nuestro hubiera durado unos meses más, pero acabaría como acaba todo, dejando tan sólo una sensación de vacío y amargura. Al menos, Klaus me dejó millones... —Rió con un cinismo que parecía casi irreal, pero que a Alain le sonó a auténtico—. Tú, por lo que veo, no te hubieras muerto y, sinceramente, en aquellos años tu futuro no se presentaba demasiado claro.

—¿Pensaste en mi futuro cuando me cambiaste por Klaus?

La pregunta, Alain lo sabía, resultaba estúpida, pero quería oír la respuesta de sus propios labios y convencerse de que a los dieciséis años Shireem había sido capaz de planificar su vida con absoluta frialdad.

Ella sonrió apenas y comenzó a atacar el pato que le habían servido, con tanta delicadeza y movimientos tan exactos, que se podría pensar que estaba diseccionándolo con un bisturí con el fin de estudiar su constitución y no con el de comérselo.

—Querido... —dijo al fin—. Cuando me fui contigo al río aquella tarde en casa de la abuela, ya sabía que iba a casarme con Klaus en cuanto acabara la guerra. Lo que nunca pude imaginar, es que sus prisas le llevaran a abandonarla... Eso significa que no te cambié por Klaus... En todo caso, hubo un momento en que estuve a punto de cambiar a Klaus por ti... —Rió como si se tratara de una pequeña travesura sin importancia de la que debería avergonzarse—. ¡Pero fue sólo un momento...!

—Entonces siempre fui un pasatiempo, y lo sabías...

Ella asintió levemente, se metió un pedazo de carne en la boca, lo masticó con aquella profunda dedicación que parecía poner en todo, y cuando lo hubo tragado, aclaró:

—Papá necesitaba a los Von-Willprett, y la rama árabe de mi familia siempre ha sido de la opinión de que las mujeres deben casarse con quien se les ordena... Me limité a seguir esa tradición...

—Sin embargo, no seguiste la tradición de llegar virgen al matrimonio.

—Klaus no era árabe y no hubiera apreciado semejante sutileza. Supongo que tenía derecho a divertirme un poco antes de dedicarme por completo a él...

Alain estuvo a punto de responderle que tal dedicación no había durado mucho, recordando el incidente del cantante y las fotos que pasaron por su mano, pero no lo hizo. Resultaba inútil, porque lo que había pretendido averiguar con aquella cena, ya lo sabía. La Shireem que se sentaba frente a él, no tenía nada en común con la Shireem que él había idealizado durante tantos años. Pasados los primeros minutos de nerviosismo, cuanto dijera o hiciera no despertaba eco alguno en él, y ni siquiera el constatar que jamás había significado absolutamente nada para ella, le enfurecía o molestaba. Experimentaba una agradable sensación de vacío, tranquilo y satisfecho de sí mismo y de la decisión que había tomado, oyéndola hablar como cuando estaba enfermo y contemplaba durante horas la televisión sin sonido, inmerso en sus propios pensamientos, ausente, ajeno a cuanto pudiera decir, reparando en cada una de las imperfecciones de un rostro que siempre había recordado perfecto, y analizando en frío cada detalle de sus gestos; falsos gestos; estudiados y amanerados gestos que habían acabado por asfixiar cualquier asomo de espontaneidad que hubiera intentado resistir al paso de los años.

Advirtió, sin prestar mayor atención, que hablaba y hablaba de los tiempos idos: de los reyes, príncipes e incluso emperadores que había conocido y con los que se había codeado, lamentando en un determinado momento el triste destino de la pobre Farah y el correctísimo Mohamed, tan buenos compañeros de viaje y excelentes anfitriones. Comprobó luego cómo iba vaciando, copa tras copa, hasta dos botellas de «Dom Perignon», sin dejar por ello de hablar y hablar, pese a que cada minuto se le trababa la lengua, convencida como debía estar de que se mostraba absolutamente brillante, mundana e ingeniosa a base de repetir lugares comunes o frases acertadas que había oído antes en alguna parte.

Y, de improviso, Alain cayó en la cuenta, entre aterrado y divertido, de que Shireem Von-Willprett se esforzaba realmente por desplegar ante él todos sus trucos de gallina vieja y zorra resabiada, con la sana y poco noble intención de arrastrarlo a una cama aquella misma noche a ser posible.

Por dos veces había abandonado una enjoyada mano sobre su antebrazo, y su risa resultaba cada vez más escandalosa, mientras en sus ojos, aquellos ojos que en un tiempo se le antojaron cándidos y asustados, aparecía ahora una luz que Alain conocía bien, y que a veces le excitaba, pero que en aquella ocasión le producía una invencible sensación de rechazo.

Pidió una tercera botella y el *maître* revoloteó inquieto unos instantes, pero al fin pareció aceptar su responsabilidad sobre las consecuencias de una Madame Von-Willprett borracha, más soportable siempre que una Madame Von-Willprett ofendida y furiosa.

Alain, por su parte, se sentía profundamente feliz sirviéndole copa tras copa, testigo de cómo se iba hundiendo más y más en el sopor y la estupidez; complaciéndose en comprobar cuán fácilmente afloraba a la superficie toda su vanidad y egolatría; disfrutando con el hecho de que aquel rostro que había llegado a obsesionarle comenzaba a abotargarse; pastosa la boca, enrojecidos los ojos, blanca y espesa la lengua, y, descolorido y apelmazado el maquillaje, en un proceso tal de destrucción, que era como asistir a una de aquellas fiestas españolas en las que se quemaban enormes muñecos que parecían llorar pintura y grasa antes de retorcerse y convertirse en un simple esqueleto de hierros humeantes.

Al filo de la media noche, cuando de la muñeca viviente no quedaba más que simples brasas balbuceantes, mandó llamar a su chófer y le ordenó devolver a Madame Von-Willprett a su casa, mientras él se alejaba paseando hasta el Arco de Triunfo, y descendía luego muy despacio por los Campos Elíseos, para sentarse a tomar el fresco en la terraza de «Le Fourquet», a disfrutar de la suave noche de verano, y de su recién conquistada libertad.

Se sorprendió a sí mismo nadando casi cuarenta y cinco minutos a buen ritmo y sin descansar. En los últimos años no recordaba haber pasado nunca de los cinco minutos, pese a que en su juventud llegó a alcanzar apreciables marcas, pero ahora tomaba conciencia de que iba ganando fuerza y resistencia día a día, e incluso hubiera jurado que su estilo mejoraba en el ritmo de la respiración y el acompasamiento de brazos y piernas, lo que le conducía, a la larga, a un mejor deslizamiento y, por lo tanto, a una mayor velocidad.

Se tumbó luego en una hamaca, cansado, pero relajado y satisfecho, pleno de vitalidad y fortaleza, capaz —y casi deseoso— de echar a correr por el amplio jardín, saltando por encima de los parterres y los arbustos.

¿Qué había sido del Alain hundido en un sillón de tres meses antes? Era aquél el milagro de Lázaro; la resurrección de un hombre prácticamente muerto que recupera, sin explicación lógica, la capacidad de nadar casi una hora y el ansia de vivir intensamente.

No sentía deseos de volver a su despacho de la «Tour Miroir», lo que había llegado antaño a constituir casi un vicio. Prefería quedarse allí, tumbado al sol o nadando, sin importarle poco ni mucho que el periódico volviera a convertirse en el de mayor circulación de la capital, o los semanarios dejaran de publicarse.

Su reencuentro con la salud y su ansia de disfrutar de la vida eclipsaban cualquier otro anhelo, y al avistar al viejo jardinero rememoró cuantas veces lo había observado con envidia. Las cosas habían retornado a su cauce y una camarera le traía la ginebra de mediodía, mientras el viejo continuaba agachándose a recoger hojas secas como había hecho casi desde que tenía uso de razón.

Lo llamó con un gesto y el hombrecillo acudió presuroso y un tanto asustado, clavándose ante él, rígido, ansioso y expectante.

—Mande, señor...

—¿Cuántos años lleva en la casa, Julien...? —quiso saber.

—Cuarenta y tres, señor... Cuando su madre me contrató, usted venía en camino... Aún me acuerdo.

Debía ser cierto. Su memoria no alcanzaba a recordar un solo día de su vida en la casa, en el que no hubiera visto al jardinero inmerso en su tarea. Le observó con simpatía.

—¡Bien! —señaló—. Desde mañana le pondré un ayudante y le aumentaré el sueldo...

El anciano pareció descomponerse. Pálido y asustado, agitó su sombrero y su voz casi tembló al protestar.

—¿Por qué, señor...? ¿Es que he hecho algo malo? El jardín está precioso...

Alain sintió ternura por él y un auténtico deseo de echarse a reír.

—No le estoy riñendo, Julien... —aclaró—. Le estoy recompensando... Trabajará menos y ganará más. ¿Es que no está de acuerdo...?

—No, señor... —se lamentó—. No estoy de acuerdo. Ése sería el primer paso para alegar que estoy viejo e inútil y jubilarme...

Dio media vuelta sin aguardar respuesta y se alejó mascullando por lo bajo... Alain hizo ademán de detenerle, pero comprendió que resultaba inútil y el viejo no se avendría a razones. Conocía bien su mal carácter desde treinta años atrás: desde que le perseguía con un palo cuando un balón mal dirigido iba a estrellarse contra uno de sus adorados parterres de rojas rosas. Y muchas noches, docenas de esas rosas desaparecieron como por arte de magia, para aparecer al día siguiente, misteriosamente, en casa de Shireem. El viejo Julien —que era entonces un hombre delgado, fuerte y nervioso— se pasó las noches en vela, vigilando, hasta que descubrió al ladrón y lo persiguió, a pedradas, hasta la casa. Mantuvo el secreto, pero pasaron meses antes de que se dignara volver a dirigirle la palabra al «señorito».

Alain estaba a punto de dejarse sumir de nuevo en el suave sopor del mediodía cerrando los ojos para hundirse en una corta siesta, cuando acudió un criado, portando un teléfono que enchufó a su lado.

—Le llama el señor Goetz —señaló—. ¿Está usted en casa...?

Asintió en silencio, y tomó el aparato. La voz del judío sonó alegre, pero quizás un tanto misteriosa.

—Nos reunimos el jueves por la noche... —señaló sin indicar de quién se trataba y dándolo por sobreentendido—. Espero que no falle.

Resultaba estúpido negarse a aceptar la realidad de que había entrado a formar parte de una minúscula minoría de privilegiados, teniendo en cuenta que, desde el día que nació, pertenecía ya, en cierto modo, a una de esas minorías y había tenido tiempo de aprender a comportarse en consecuencia.

—De acuerdo —admitió—. Pase a buscarme.

Eran cinco, contando a Samuel Goetz, y de entre ellos Alain tan sólo conocía personalmente a Ralph Collingwood, el naviero que le pidiera con tanto interés que recibiera al productor en su primera visita.

El dueño de la casa, Dominic, *Tintin*, Bachelesse, estaba considerado como el único hombre en este mundo capaz de competir en la industria de licores aperitivos con las grandes firmas italianas, y se había preocupado de conceder el día libre a la servidumbre, encargándose él mismo de la cocina, de la que era, no sólo un gran aficionado, sino, sobre todo, un verdadero artista. Se trataba de un meridional fuerte, divertido y lleno de vida, que inmediatamente abrazó a Alain y lo trató de «hermano», como si considerara que, en verdad, habían pasado a formar parte de una confraternidad aún no muy bien definida.

El resto de los invitados lo constituían un brasileño bilioso y preocupado, Helio Távora, propietario de la mayor cadena de hoteles de Latinoamérica, y un sudafricano alto y seco, Sergio Goldfarb, que había heredado de su abuelo las más ricas minas de diamantes que jamás existieran bajo la faz de la Tierra.

A *grosso modo*, Alain calculó en unos tres mil millones de dólares el activo de sus compañeros de cena, y se preguntó en qué diablos podrían apoyarse mutuamente, si sus fortunas se encontraban tan bien consolidadas y sus respectivos intereses no parecían tener ningún punto de contacto.

La pauta pareció dictarla, sin embargo, una frase de Távora, que se interrumpió momentáneamente en su tarea de devorar ostras con el ansia de un muchacho que no hubiera comido en tres días.

—El problema no es urgente —admitió—. Aún podemos dar explicaciones más o menos convincentes sobre nuestro estado físico. Pero, ¿qué diremos la próxima vez...?

—¿Qué próxima vez...? —El tono de alarma de Alain sorprendió a todos, que se volvieron a mirarle—: ¿Es que puede existir una próxima vez?

—Naturalmente... —admitió *Tintin* Bachelesse—. ¿Aún no se lo han dicho...? Dentro de veinte años, si vuelve a pagar, le vuelven a rejuvenecer.

—¡Pero es que para entonces ya tendremos...! —comenzó Alain alarmado.

—...Entre sesenta y setenta años —le interrumpió Távora agriamente—. Ése es el problema a que me refiero... ¿Cómo convencer a los demás de que a esa edad podemos conservarnos como en este momento? En octubre cumpliré cincuenta años, y me muevo, bebo, o hago el amor, como a los treinta... Pronto o tarde alguien sospechará la verdad...

—¿Y cuál es la verdad? —quiso saber Alain—. Vengo preguntándolo desde que Samuel aseguró que podían curarme, y nadie quiere darme una respuesta... ¿Alguno de ustedes la conoce...?

Le miraron y había, quizás, una cierta culpabilidad común en esa mirada. Cada uno de ellos se consideraba a sí mismo un hombre poderoso, acostumbrado a mandar y ser obedecido, ungidos de esa fuerza y esa seguridad que proporciona el dinero que se ha tenido siempre, pero ahora, en lo concerniente al tema que más les había preocupado nunca, se sentían tan indefensos e ignorantes como el más estúpido de los mortales.

—No —admitió al fin Ralph Collingwood—. No conocemos la verdad, y eso pronto nos acarreará problemas... De hecho, ya existen. Mi esposa se siente menopáusica, y aunque siempre la quise, empieza a ser demasiado vieja para mí. Llegará un día en que incluso los hijos se nos queden viejos. El mundo entero envejecerá a nuestro alrededor, y nosotros seremos cada vez más extraños a él... ¿Cómo explicarlo?

Resultaba patente que era aquél un problema que les obsesionaba. Se había hecho un silencio denso y cada cual parecía esperar que otro apuntase la solución que él no había sabido encontrar.

Alain, por su parte, no había tenido tiempo de meditar en lo que acababan de descubrirle. Ni siquiera se le había pasado por la mente que fuera posible una nueva operación, con las complejas consecuencias que traería aparejadas. Significaba, de algún modo, la materialización del más ansiado sueño de la Humanidad: la Eterna Juventud; la vida plena y bella de los veinte años, con la conciencia y el conocimiento de la madurez mental. Demasiado hermoso para ser cierto.

—¿Quién ha asegurado que el tratamiento puede repetirse? —quiso saber, y su voz sonaba levemente imperiosa—. ¿Quién lo ha probado por segunda vez...?

—Nadie —admitió Goldfarb—. Nadie lo ha probado, porque no tenemos aún la edad necesaria. Pero el doctor Ericsson me lo anunció durante su último reconocimiento: me encontró en óptimas condiciones para repetir en cuanto llegue el momento.

—¿Sin necesidad de estar enfermo...?

—Sin necesidad de estar enfermo —admitió.

—En ese caso... —Alain se había vuelto a Collingwood—. Si no es condición imprescindible estar enfermo, tal vez podrían operar y rejuvenecer a tu esposa...

Ralph había apartado a un lado su plato como si súbitamente hubiese perdido el humor y el apetito.

—A ella, no —replicó convencido—. Lo pedí, pero no pueden... No me explicaron por qué. Sencillamente, no pueden. Mis hijos, sí... Tanto los chicos como las chicas. Pero Jean, no. Demasiado tarde, dicen...

—¡Pero Jean es más joven que tú...! —protestó Alain—. ¡Y más que yo...! ¡No lo entiendo...!

—No se puede tratar de entender... —intervino Dominic Bachelesse—. No aclaran nada y todos estamos, poco más o menos, en las mismas circunstancias. —Hizo una larga pausa durante la que jugó distraídamente con el tenedor que tenía en la mano—. Yo soy de la opinión de que lo mejor es limitarnos a vivir en paz por el momento... Quizá dentro de veinte años nos haya aplastado un camión o nos encontremos en la ruina que, para el caso, viene a ser lo mismo...

—Para ti resulta sencillo... —se lamentó Collingwood, con un marcado tono de reproche en la voz—. No tienes familia, como Samuel. O como Alain... Pero... ¿qué decimos los demás a nuestras esposas...? ¿O a nuestros hijos...? ¿Crees que debo pagar diez millones de dólares por rejuvenecer en su día a cada uno de ellos? ¿Y por sus esposas o sus maridos...? ¿O por cada uno de sus hijos?

—Negó convencido—. No hay fortuna que aguante. Ni aun la mía... Tendría que empezar a robar y estafar, y nunca lo he hecho...

Se hizo un nuevo silencio en el que todos parecían meditar en las consecuencias de lo que Ralph Collingwood acababa de exponer. Távora y Bachelesse continuaban comiendo aunque sin convencimiento, Goetz fumaba uno de sus gruesos habanos, más con aire de testigo que de auténtico interlocutor, y Goldfarb se servía un nuevo whisky doble a los que parecía sinceramente aficionado.

La mirada de Alain fue de uno a otro, y por último, con un tono pausado y reflexivo señaló:

—Mi opinión es que resulta absurdo el que nos encontremos aquí, discutiendo lo que estamos discutiendo —dijo—. A mi modo de ver, esta situación va mucho más allá que los problemas de índole privado. Nos han ofrecido la oportunidad de vivir un número de años —cuarenta o más— jóvenes, activos, y con capacidad de aprender, trabajar y asimilar cada vez mayor número de experiencias y conocimientos. Eso nos brinda la oportunidad de convertirnos en casi superhombres, y creo que no tenemos derecho a ensuciar ese hecho maravilloso con mezquindades tales como el qué decir a los demás, o qué dirán los demás. Constituimos un inconcebible paso adelante en la evolución de la Humanidad, y deberíamos tomar plena conciencia de ello, y de cuál es nuestra responsabilidad respecto al futuro. Tal vez, de nuestro comportamiento dependa el destino de millones de seres humanos condenados a envejecer y morir prematuramente.

Goetz habló apartando un instante su inmenso puro y apuntándole con él como si se tratara de un arma peligrosa.

—En eso estoy de acuerdo... —admitió—. No debemos limitarnos a disfrutar de lo que nos han dado... Pero tampoco debemos guardar silencio sobre lo que nos preocupa o nos aterra acerca de nosotros mismos, sin querer profundizar en lo que nos ha ocurrido... —Fumó largamente, como buscando ayuda en el humo del cigarro, y se diría

53

que encontraba esa ayuda, porque, con un arranque de sinceridad continuó—: Lo cierto es que hasta ahora ninguno se ha decidido, como Alain bien apunta, a reflexionar respecto al futuro, o a desnudar lo que esconde en lo más profundo de su alma.

—¿Y cómo podemos desnudarla...? —inquirió *Tintin* Bachelesse violento—. ¿Atreviéndonos a confesar que a menudo tenemos la sensación de ser otro...?

Le miraron en silencio, Collingwood palideció y Alain hubiera jurado que la copa de Goldfarb temblaba en su mano y tenía que esforzarse para conseguir depositarla sobre el mantel. Goetz fue de nuevo el primero en reaccionar.

—¡Vaya...! —exclamó—. ¡Al fin lo has dicho...! Al fin uno de nosotros se ha lanzado... Es eso lo que nos espanta a todos, ¿no es cierto?: a veces tenemos la impresión de ser otro.

Instintivamente la mirada de Alain se había dirigido a la cicatriz de su dedo y se sintió desconcertado, como si algo que intentaba ahogar en lo más profundo de su subconsciente aflorara de improviso explicando la angustia que aquella cicatriz le producía. Aun así, intentó protestar:

—Es absurdo... —se quejó—. ¡Jamás he tenido esa impresión...!

—La tendrás... —afirmó Bachelesse, convencido—. Aún es pronto para ti pero poco a poco comenzarás a advertir cómo algo se transforma en tu interior, y te descubrirás hábitos que nunca tuviste, gustos extraños, y habilidades que no conocías. Incluso la letra cambia y tengo que esforzarme al firmar para que no me salga un garabato que ni yo mismo reconozco...

—¡Eso es idiota !—exclamó Távora que escuchaba en silencio sin pestañear y cuya voz sonaba más a necesidad de autoconvencerse, que a sincera protesta—. No niego que me asalten impresiones indescriptibles, y que incluso sueño con gentes y lugares que nunca he visto antes, pero yo sé que soy yo, y que aunque me hayan rejuvenecido éste es mi cuerpo, centímetro a centímetro con las mismas marcas, los mismos lunares y los mismos defectos y virtudes...

—¿Entonces...?

La pregunta la había hecho Goetz, y la dejó pendiente en el aire, como si hubiera quedado suspendida por un hilo invisible sobre la mesa y las cabezas de los presentes.

—¿Entonces...? —repitió Távora—. No lo sé. Quizá todo se deba a la riqueza de la nueva irrigación que el cerebro recibe, o quizá, ¿por qué no?, a nuestra ansia por encontrar una explicación a algo que se nos antoja ilógico. Fantaseamos sin pretenderlo y la imaginación nos traiciona. No somos psiquiatras, y ni aun ellos lo saben todo sobre el comportamiento humano...

—Estoy de acuerdo... —apuntó Sergio Goldfarb—. Si nadie se ha encontrado nunca antes en esta situación, nadie puede predecir cómo reaccionará una persona que, de improviso, se descubre veinte años más joven.

—¿Y es lógico que reaccione creyéndose otro...?

—Nada resulta lógico —puntualizó Goldfarb puntilloso—. Y ya hemos quedado en eso. Nada es lógico, y por lo tanto, no debemos buscar explicación a nuestras reacciones... —Hizo una pausa que aprovechó para servirse un nuevo y generoso whisky doble— ...Pero últimamente parte de mi tiempo lo paso intentando recordar mis reacciones durante la pubertad. Me hacía hombre, tomaba conciencia de mi cuerpo y de su nueva fuerza y posibilidades, y quizás, en cierto modo, también me sentía otro... puede que ésta se haya constituido en una situación semejante y reversible.

—¿Qué quieres decir con eso de «reversible»?

—Quiero decir que hace años que había aprendido a prescindir de mi rostro, mi fuerza o mi agilidad, como parte importante de mis valores. Esos valores se centraban en mi mente, mis conocimientos, y mi dinero... De pronto me dan algo más, pero me asusta pensar que en mi interior va a comenzar a librarse una batalla entre un nuevo «yo», joven y vital, y mi cansado y escéptico «yo» de siempre.

—¿Por qué una batalla? —inquirió Alain interesado—. ¿Por qué no una convivencia en paz y armonía...?

—Quizá porque parece como si perteneciesen a generaciones distintas... Es como si un muchacho y un hombre maduro se encerraran a compartir la vida juntos, no en una pequeña habitación, sino en un cuerpo... Acabarían matándose.

La voz de Claudine anunció por el interfono con un leve deje de entusiasmo y mal contenida admiración:

—Ha llegado Sacha.

Alain sonrió sin apartar la vista del informe económico en que se encontraba sumergido.

—Disfrútelo cinco minutos y hágalo pasar.

Alain comprendía, aceptaba, y casi compartía, el entusiasmo y la admiración de Claudine por Sacha Cotrell y se la imaginó en el antedespacho, ofreciéndole una taza de café y un cigarrillo, sonriéndole cautivadora, y esforzándose porque reparara en la perfección de sus magníficas piernas y sus prometedores muslos.

Resultaba claro que ni Samuel Goetz, ni ningún otro productor de cine en su sano juicio, habría contratado jamás a Sacha Cotrell como galán de una de sus películas, y cuando entraba en un bar pocas mujeres reparaban de primera intención en su presencia. Pero cuando se le conocía; cuando se había hablado media hora con él y comenzaba a emitir aquella especie de fluido magnético que era una mezcla de audacia, inteligencia, simpatía y deseo animal, las mujeres experimentaban una especie de vacío en la boca del estómago, que se convertía más tarde en cosquilleo y sensación de calor entre los muslos, y concluía en una desaforada e inexplicable necesidad de continuar la charla —aquella amena y arrebatadora charla— en una cama, y a ser posible bajo una luz muy tenue.

De hecho, y aunque él tratara de evitar referirse a ello, se sabía en París que Sacha se había dejado llevar a esas camas por algunas de las más conocidas estrellas del cine y teatro, cantantes, damas de la buena sociedad, escritoras, estudiantes de filosofía, y docenas, o tal vez centenares de secretarias, vendedoras o simples amas de casa.

Quedaba matemáticamente comprobado que de cada tres cartas que llegaban a *Le Miroir,* una venía dirigida a Sacha y que de ellas, la mitad le alababan por su último artículo, y la otra mitad le proponía abiertamente iniciar —o continuar— una de aquellas apasionantes charlas de alcoba.

Y lo más «triste» era el hecho de que sus amigos y compañeros de trabajo no podían odiarle a gusto, como se merecía por su éxito, porque, en el fondo, Sacha era con ellos casi tan encantador, divertido, sincero y generoso, como con las mujeres.

Alain permitió, por tanto, que Claudine probara suerte desplegando sus innegables encantos ante el periodista durante el tiempo que tardó en concluir un somero repaso al fastidioso estudio que le había pasado hacía ya una semana su director administrativo. Quedaba claro que, si bien no se había hecho mucho más rico en aquellos dos infaustos años, Alain Remy-Duray tampoco había perdido dinero, excepción hecha de diez millones de dólares, de cuyo paradero «administración» no tenía la más remota idea.

A los cinco minutos, menos de los que Claudine necesitaba para que la invitaran a cenar, Sacha Cotrell penetró en el despacho de Alain al que saludó con el sincero afecto de una vieja amistad que iba más allá de la relación patrón-empleado.

Tomaron asiento en los cómodos sillones que dominaban la pared de cristal que se abría sobre los techos de París y la curva del Sena, y se contemplaron fijamente, satisfechos del reencuentro.

—¡Rayos...! ¡Estás increíble...! —exclamó Sacha al fin—. Y lo cierto es que no daba un franco por tu pellejo...

—Lo sé... —admitió Alain sonriendo—. Apuesto que ya tenías escrito un artículo en mi memoria... ¿Cómo lo habías titulado?

—«Adiós, patrón» —replicó el otro sin rubor alguno—. Temí que el día en que ocurriera me sentiría demasiado afectado como para escribir. —Agitó la cabeza—. Nunca me he alegrado tanto de tirar algo a la papelera.

—Te creo —replicó Alain, y luego, avanzando un poco el cuerpo, se inclinó hacia delante y añadió en voz más baja, como si temiera que alguien pudiera oírles aunque sabía que resultaba imposible—: Tengo un trabajo especial para ti.

Sacha Cotrell no se inmutó. Los «trabajos muy especiales», eran los que le mantenía unido al periodismo y a *Le Miroir*, obligándole a rechazar las ofertas de editores o productores de cine que querían atraérselo a su campo.

—Tú dirás.

—Hay algo que necesito aclarar antes... —señaló Alain—. Será un trabajo difícil en el que a lo mejor encuentras un tema extraordinario, pero aun así, tal vez te pida que no publiques ni una línea sobre ello.

El periodista meditó unos instantes sorprendido por la extraña proposición, ya que siempre se exigía de él que informase a miles de lectores sobre temas espinosos y comprometedores, exponiéndose, a menudo, a peligrosas represalias. Era un riesgo y su gloria, y el hecho de investigar para no contar después lo que llegase a descubrir, constituía algo insólito.

Extrajo con parsimonia una cajetilla de pestilentes cigarrillos españoles a los que se había acostumbrado durante sus veraneos en las costas de Almería, encendió uno sin molestarse en ofrecer semejante veneno a su interlocutor, que hubiera muerto por ello más seriamente que por sus cuatro infartos, y lanzó el humo contra la cristalera.

—Escucha... —comenzó muy despacio—. Nadie había oído mi nombre cuando entré en tu antiguo despacho y te pedí dinero y seis meses de tiempo para investigar cuanto se ocultaba tras Jean-Paul Guitay, que era en aquel tiempo el hombre más rico e influyente de este país. Y no me arrojaste a la calle por loco. Creíste en mí. Y entre tú y aquel sinvergüenza, me hicisteis famoso... ¿Puedo negarme? Eres la única persona a la que aceptaría una propuesta semejante... —afirmó convencido—. Tienes mi palabra.

—Gracias... —Se advertía que Alain no había dudado ni un segundo sobre cuál sería la respuesta de Sacha, y se sentía feliz al comprobar que no se había equivocado—. Tendrás que llevar a cabo la investigación en absoluto secreto... —añadió—. Es imprescindible que no aparezca nunca tu nombre, el de *Le Miroir*, ni, desde luego, el mío. Quizá creas que exagero, pero tengo la impresión de que si llegan a sospechar que me meto en esto, acabarán matándome.

El otro no pareció inmutarse tampoco en aquella ocasión. Cuatro veces habían intentado asesinarle por husmear en temas escandalosos, y sabía por experiencia que en su oficio la muerte entraba siempre dentro de lo posible.

—Entiendo... —comentó sin dejar de fumar—. Continúa.

—Necesito que averigües «quiénes» me salvaron la vida, y, sobre todo, «cómo» lo hicieron... —sonrió como disculpándose—. El «cuándo» ya lo sabes; hace poco más de dos meses. El «porqué», unos cincuenta millones de francos nuevos. El «dónde» una clínica de color amarillo y grandes columnas que debe encontrarse al oeste del aeropuerto de Le Bourget, imagino que no lejos de Saint-Denis... —Se echó de nuevo atrás en su asiento, como si se hubiera liberado de un peso que venía atosigándole tiempo atrás—. Me atendía un tal doctor Ericsson, pero estoy seguro de que no fue él quien me operó. Había también una enfermera pequeña, morena y complaciente llamada

Catherine. Era la única francesa.

Sacha había rebuscado en el interior de su deteriorada y personalísima chaqueta, extrayendo un pedazo de papel doblado en cuatro y un bolígrafo, y tomaba rápidas notas. Por último alzó la cabeza.

—¿Cómo pagaste ese dinero? —inquirió.

—Di orden a mi Banco en Ginebra y fueron a buscarlo personalmente. Se lo llevaron en una maleta.

Sacha lanzó un leve silbido de admiración.

—¡Magnífico...! Prefieren que les roben a dejar una pista... Creo que va a resultar interesante...

Aplastó la colilla de su cigarrillo contra el pesado cenicero de cristal, y comenzó a hacer preguntas muy concretas sobre cada uno de los detalles que pudieran servirle para llegar lo más rápidamente posible al fondo de la cuestión. Al fin, agitó la cabeza con aire pesimista y se puso en pie dispuesto a marcharse.

—¡Bien...! —exclamó—. No es mucho lo que tengo, pero me apañaré. Creo que el mejor camino será seguirle la pista a ese dinero.

Alain le acompañó a la puerta.

—Emplea todo tu tiempo y gasta lo que necesites —puntualizó—. Comunicaré a Dirección que te he relevado de todas tus obligaciones... y tenme al corriente...

—¡Descuida...!

Claudine permanecía frente a la puerta, con el aire de un perro ilusionado a la espera de que su amo le lance un hueso, pero en esta ocasión el «amo» se limitó a pasar a su lado, pellizcarle levemente la mejilla, y encaminarse directamente a los ascensores.

Alain, que había mantenido la puerta abierta, sonrió ante el desencanto de la muchacha y negó con la cabeza.

—¡Claudine...! —le reprendió afectuoso—. ¡Es mayor que tu padre...! Y se está quedando calvo...

Se sonrojó levemente y se tiró de la falda, alisándosela, mientras se encaminaba a la mesa a recoger su libreta de notas.

—¡Es que si además fuera joven...! —cambió el tono que se hizo mecánico y profesional—. Ha llamado el señor Sergio Goldfarb —dijo—, dejó un número. ¿Quiere hablar con él?

Dudó. Se resistía a soportar una nueva cena en la que los cinco hombres desquiciados se esforzaban por encontrar unas respuestas que sabían de antemano que nunca encontrarían cenando juntos, y estuvo a punto de rechazar la idea, pero se arrepintió. Goldfarb le había llamado la atención por su equilibrada forma de hablar y comportarse, y parecía, junto con Goetz, el más consciente del problema a que se enfrentaba.

—Póngame —pidió, y cerró la puerta encaminándose a su sillón, en el que apenas tuvo tiempo de sentarse, pues de inmediato llegó la llamada, y la voz del sudafricano sonó tan clara como si se encontrara en la habitación vecina.

—Buenos días, Alain... —le saludó yendo directamente a lo que le importaba—. Tengo un negocio que proponerle... ¿Comemos juntos...?

—¿Negocio...? —se sorprendió, pues no era eso lo que esperaba.

—De la más baja estofa —rió el otro—. Nada de enredos filosóficos sobre nuestros respectivos futuros. Dinero, solamente dinero.

—De acuerdo... ¿Dónde?

—En el «Bateau-Mouche» a la una... He reservado la mesa de proa.

—Allí estaré.

Colgó y tan solo entonces cayó en la cuenta de lo absurdo de un almuerzo en la proa de un barquichuelo que navegaba por el Sena, más propio de turistas americanos y parejas de recién casados, que de un par de respetables hombres de negocios.

La última vez que había subido a un «Bateau-Mouche», fue una tibia tarde de otoño en compañía de Shireem, millones de años atrás.

Shireem.

No había vuelto a pensar en ella desde la noche del «Beluga» y advirtió de improviso una agradable sensación de bienestar, como cuando, tras un dolor de cabeza, una aspirina le devolvía a su estado natural que resultaba entonces más natural, más plácido y amable.

Shireem había muerto para él, y nunca, nunca más permitiría que resucitase.

A la luz del día, Sergio Goldfarb, elegante y cordial, se diferenciaba bastante de aquel otro, atormentado y aburrido, de dos noches antes. Seguía siendo, no obstante, un hombre positivo, directo, y un tanto rígido en determinados momentos, y se llegaría a creer que se esforzaba por luchar contra esa rigidez que le venía dada por su raza, su nacionalidad y su férrea educación de tipo germánico.

—¿Cuál es ese negocio? —inquirió Alain en cuanto el barco se puso en marcha alejándose río adelante—. ¿Quiere venderme una mina de diamantes?

El sudafricano negó con una helada sonrisa.

—No. Lo que quiero es comprarle un periódico —dijo.

—*Le Miroir* no está en venta —replicó, molesto porque no valía la pena perder unas horas de nadar y disfrutar de la piscina por algo que no admitía discusión—. Ninguno de mis periódicos lo está —concluyó tajante.

—No me ha entendido... —señaló Goldfarb conciliador—. Lo que quiero es comprarle un periódico en Johannesburgo. Yo lo compro, y usted lo maneja. O, si prefiere, lo compramos a medias.

—¿En Johannesburgo? —se admiró mientras la Torre Eiffel iba pasando sobre su cabeza, a la derecha, y frente a él, en la curva, hacía su aparición la silueta del Museo de Arte Moderno—. No tengo ni la más remota idea de cómo manejar un periódico en Sudáfrica... —puntualizó—. Nunca he estado allí.

—Supongo que funcionará más o menos como en Francia... —argumentó Sergio Goldfarb con tranquilidad—. Pronto se pondrá al corriente... —Hizo una pausa, bebió un largo sorbo de su whisky y añadió—: Sería tan sólo el primer paso. Mi idea es montar una cadena como la que usted tiene aquí. Johannesburgo, Ciudad de El Cabo, Pretoria, Durban y Natal... Tal vez incluso alguna emisora de radio... Sobra el dinero... Mío, y de amigos con los que puedo contar.

—¿Por qué?

Le miró fijamente; extrañado.

—¿Por qué, qué? ¿Acaso no es un buen negocio...? Usted ha ganado millones.

Alain afirmó con la cabeza mientras observaba a una preciosa morena que se besaba con un tipo muy alto a la popa de otro barco que se cruzaba con ellos en esos momentos. Envidió al larguirucho, y sin dejar de mirarles, girando incluso el cuerpo para seguirlos todo el tiempo que le fue posible, replicó dando la espalda a su compañero de mesa:

—No tan buen negocio como sacar diamantes de un hueco en la tierra. Y con muchísimos más problemas laborales y sociales de los que le puedan dar nunca sus mineros negros... —concluyó con intención.

Sergio Goldfarb aguardó a que la pareja se perdiera de vista en la curva y Alain le mirase de nuevo. Revolvió con el dedo los cubitos de hielo de su vaso.

—Ésa es la auténtica razón... —dijo—. Los mineros negros... ¡Los negros en general...! Salvo contadísimas excepciones, la Prensa de mi país está a favor del «Apartheid» y de la loca política gubernamental... —Hizo una pausa—. Y esos fanáticos fascistas acabarán llevándonos al desastre, a pesar de que muchos somos partidarios de un entendimiento con los negros. Pero no tenemos voz para expresarnos.

—Levantar un periódico de oposición resulta caro y difícil... —le advirtió Alain sabiendo por experiencia de lo que hablaba—. Sobre todo, con un Gobierno tan reaccionario y dictatorial como el sudafricano. Cuenta con mil formas de hacer el «boicot»: desde cerrarlo por las buenas, a impedir la importación de papel...

—Usted supo salir adelante...

—De Gaulle era distinto... Yo podía estar en

desacuerdo con muchas de sus ideas, pero siempre le admiré... Era autoritario, pero nunca dictatorial o fascista...

—Usted tiene experiencia... —insistió convencido el sudafricano—. Y eso es lo que cuenta... Mi Gobierno se dedica a comprar periódicos en el extranjero con el fin de mover la opinión pública a su favor. Yo pretendo jugarles a la contra, y meterles el enemigo en casa... —se interrumpió bebiendo de nuevo y por último negó convencido—. Me he expresado mal... —corrigió—. No quiero oponerme al Gobierno. Éste no es el camino. Debemos ser más sutiles... Debemos constituir un primer paso hacia el entendimiento. Somos muy ricos, pero también somos muy pocos... Cuatro millones de blancos frente a catorce millones de negros... Resistir por la fuerza resultaría imposible. Hay que buscar fórmulas, y una tribuna abierta a todas las ideas es, a mi modo de ver, la mejor manera de encontrar esas fórmulas.

—Demasiado tarde para el diálogo, ¿no cree?

Alain no había estado nunca personalmente en Sudáfrica, pero se hallaba al corriente de la difícil situación a la que se enfrentaba. Sacha había visitado la república un año antes bajo su disfraz de viajante de comercio, publicando en *Le Miroir* una serie de artículos en los que concedía ya escaso margen a la esperanza. África Negra, el África de las Nacionalidades y las Independencias que había visto la luz a principios de los años sesenta, se disponía a asestar un golpe definitivo a la última colonia que quedaba en el Continente, arrojando a los blancos al mar. Ya no dependía de los africanders descendientes de holandeses, alemanes o ingleses. Ahora dependía de los negros, y ninguna cadena de periódicos salvaría la situación. Lo expresó así, crudamente y sin miramientos, mientras el barco cruzaba bajo los puentes de los Inválidos y Alejandro III, teniendo ante sí el Obelisco de la Plaza de La Concordia.

Sergio Goldfarb escuchaba en silencio, sorbiendo con delicadeza una deliciosa sopa de cangrejos, y podría afirmarse, por su expresión, que en el fondo compartía la opinión de Alain, pero aun así, cuando éste terminó de hablar, negó con la cabeza.

—Eso está muy bien en teoría... —admitió—. Pero somos el primer productor de oro y diamantes del mundo y, potencialmente, uno de los primeros de uranio. Occidente no puede permitirse el lujo de prescindir de nosotros, y que un oro y unos diamantes sin los que muchas de sus industrias se detendrían, termine por pasar a manos de los rusos, los chinos, o simplemente un puñado de chiflados e imprevisibles nacionalistas negros. Nos defenderían con uñas y dientes.

—Entonces... ¿Para qué me necesita...?

A Goldfarb le sorprendió la pregunta. A su entender, la posición que adoptaba quedaba muy clara, y en realidad lo estaba, aunque Alain pretendía asegurarse.

—Una cosa es que los americanos nos defiendan en el último momento... —puntualizó—, y otra, muy distinta, que yo trate de encontrar una posición de equilibrio que no nos conduzca a ese punto.

Alain meditó durante tres largos puentes: Concorde, Royal y Carrousel, con la mirada prendida, aunque sin advertirlo, en la fachada del Louvre que iba pasando a su izquierda, gris, plomiza, majestuosa y hostil, sorprendido por no haber emitido ya un «no» rotundo a un proyecto incoherente y arriesgado; un proyecto que, en pura lógica de conocedor de los entresijos del mundo de la Prensa y la política, no merecía más allá de unos minutos de reflexión.

Dos años atrás, cuando era aún el Alain Remy-Duray capaz de permanecer doce horas diarias en su despacho de la «Torre», habría dado carpetazo al tema antes de que apareciesen por proa las agujas de la catedral de Notre-Dame. Ahora, sin embargo, «algo» se agitaba en su interior y le impedía soltar ese «no» rotundo que el proyecto merecía, manteniéndose silencioso y abstraído, como hipnotizado por el atractivo de una loca aventura fascinante.

Cuando habló, él mismo fue el primer extrañado por su pregunta, y por su tono de voz.

—Dígame, Sergio... —pidió—. ¿Me hubiera hecho esta oferta antes de ser operado...? ¿Lo habría pensado siquiera...?

Meditó tan sólo un instante.

—No —fue la sincera respuesta—. Jamás me planteé un problema como éste. Mi miedo al futuro se limitaba a sacar diamantes de mi país y ponerlos a salvo en Holanda. Siempre supuse que, aunque no nos salvaran los norteamericanos, no me quedaría tiempo material de gastarme el dinero.

—Pero ahora piensa que va a vivir mucho más...

—No es eso... Mi fortuna es inmensa, Alain. Ni yo, ni mis hijos, ni mis nietos, podremos liquidarla... Pero siento que he cambiado. Tengo un nuevo espíritu de lucha, y me invade la ansiedad; la necesidad de hacer algo por un país que ha hecho tanto por mí...

—¿Como si le hubieran rejuvenecido también de espíritu...?

—Exactamente... —admitió—. ¿A qué negarlo...? Como si una voz me gritara que no soy tan sólo el hombre maduro, cínico y egoísta que lo ha visto todo, sino que perdura en mí algo del muchacho ilusionado y luchador que pude haber sido en un tiempo y no fui, porque todo me resultaba demasiado fácil...

—¡Dios! Es así... —exclamó Alain—. Lo estaba temiendo. Es eso también lo que me impide mandarle al infierno con su loco proyecto. —Agitó la cabeza como si tratara de ahuyentar sus pensamientos—. ¿Qué nos ocurre, Goldfarb? ¿Qué han hecho de nosotros? ¿Resulta concebible que tan sólo a cambio de dinero nos hayan devuelto la juventud y lo mejor que teníamos...?

La mano del sudafricano tembló y el hielo tintineó en su vaso cuando se lo llevó a los labios. Bebió apenas un sorbo.

—Me da miedo pensar en la posibilidad de que no nos hayan devuelto únicamente lo bueno

—dijo—. Temo, más bien, que se puede tratar de una ruptura digamos... «ecológica». Cuando el ser humano interviene modificando la obra de la Naturaleza, acaba provocando una catástrofe. Y no podemos negar que han alterado de algún modo nuestra naturaleza.

—Se diría que permanece a la espera de la aparición de los primeros síntomas de esa catástrofe.

—Más o menos.

—El whisky no contribuirá a retrasarla.

—Pero me quita el miedo.

—¿Y pretende que yo comparta ese miedo...? —Alain negó convencido—. Me han salvado la vida y aún no he tenido tiempo de saborear esa maravillosa sensación... Nada logrará asustarme después de lo que he pasado.

—Se equivoca... —le contradijo Goldfarb—. Volverá a acostumbrarse a vivir, y lo encontrará absolutamente normal... —Hizo una pausa en la que su mirada pareció perdida en un punto indefinido, más allá de las gárgolas de Notre-Dame, que quedaban ahora casi sobre su cabeza, amenazándole con su impasible fealdad—. Más tarde... —añadió—. Dentro de un par de años, le asaltará el temor a lo desconocido que ahora me invade, y que ha atacado también a Collingwood y a Távora. ¿A qué precio hemos pagado realmente el privilegio de vivir y ser jóvenes? A menudo me siento como un nuevo Doctor Fausto, que ha vendido su alma al diablo.

Durante un largo rato, el que tardaron en que les sirvieran el café, observando la maniobra del barco que comenzaba a girar sobre sí mismo a la altura de la estación de Austerlitz, no hablaron, falsamente interesados en la acción del capitán, pero, más probablemente, inmersos en sus pensamientos; aquellos miedos que Alain se negaba a compartir, aunque presentía que acabarían por apoderarse también de él.

Sergio Goldfarb tenía razón: comenzaba a acostumbrarse a vivir, considerándolo un derecho que nunca, nadie, debió discutirle, y cada nuevo día le distanciaba una eternidad del tiempo en que se creyó realmente al borle de la nada. Y tenía razón también al puntualizar que el precio pagado era bajo. El verdadero precio aún estaba por llegar.

Contempló la cicatriz. ¿Era parte de ese precio, o era parte del miedo que sentía? Era tan sólo, al parecer, un recordatorio; un aviso; un cobrador que le seguía a todas partes, advirtiéndole que, algún día, descubriría la razón de ser de aquella cicatriz, y habría llegado el momento de rendir cuentas.

Y algo en su interior le gritaba que la factura resultaría tan astronómica, que ni él, ni nadie, podría pagarla.

El miedo; aquel miedo al que el sudafricano se refería, se había apoderado también de Alain, y resultaba estúpido negarlo.

El rugir de los motores ensordecía y producía una especie de crispación en el ánimo; una tensión que se contagiaba a los miles de espectadores que vivían con más intensidad que en el mejor de los autódromos cada incidencia de la carrera.

La gran concha acústica en que parecía haberse convertido la bahía, devolvía en mil ecos el tabletear de los pistones, el chirrido de los neumáticos, o el ronco y estremecedor bramido de las cajas de cambio, y sobre el mar tranquilo y aceitoso se había extendido a baja altura una nube de humo que ofendía el olfato, irritaba los ojos, y se aferraba a las gargantas contribuyendo aún más, si ello era posible, a excitar a los espectadores.

Catorce corredores se mantenían en la pista, persiguiéndose los unos a los otros, o más bien persiguiéndose a sí mismos en su eterno girar por el circuito cerrado, buscando una y otra vez la misma curva en el momento exacto, recortando velocidad o acelerando con casi matemática precisión, conscientes de que el auténtico enemigo no estaba en el piloto del coche rojo o del coche verde, sino el propio gesto mal calculado y el frenazo a destiempo.

Desde el puente del *Sahara*, tumbado en una

colchoneta amarilla y negra, con una ginebra helada en una mano y los prismáticos en otra, Alain se maravillaba, como siempre, del valor suicida de aquellos locos encajonados en metálicos ataúdes sobre ruedas, que se lanzaban una y otra vez cuesta abajo, a la salida del largo túnel, giraban a la izquierda dejando parte de los neumáticos en la curva, y aceleraban de nuevo para cruzar en zigzag frente a la tribuna repleta de ansiosos embobados yendo a perderse de nuevo, como trueno asustado, en busca de la parte alta de la ciudad.

Se preguntó qué diferencia existiría entre los gladiadores que se enfrentaron a la muerte en los circos romanos y estos otros modernos gladiadores a los que la misma muerte acechaba en cada curva del camino. Se preguntó, también, si existía diferencia alguna entre el populacho que bajaba el dedo pidiendo la ejecución del vencido y el público que permanecía a la espera del accidente que lanzara una máquina al aire, envuelta en llamas.

Para Alain, el interés del «Gran Premio», el único al que acudía en toda la temporada, no había estribado nunca en los coches en sí, la velocidad que alcanzaran y el puesto en que acabara cada corredor, sino, sobre todo, en el inconcebible espectáculo que constituía la bahía en la que se daban cita, un día al año, los más hermosos y sofisticados yates de los siete mares.

Apiñados borda contra borda, constituían una especie de plataforma continua que hubiera podido permitir atravesar el puerto saltando de barco en barco sin mojarse los pies. Los altos navíos de poderosos motores, o los esbeltos veleros de afilados cascos, lucían su carga de lujo y derroche; de mujeres hermosas con los pechos al aire y hombres muy tostados por el sol y el ocio, que observaban las incidencias de la carrera a través de largos prismáticos, o se tumbaban sobre hamacas y colchonetas, ajenos a que a su alrededor daba vueltas la muerte.

Años atrás, Alain hubiera podido nombrar, con un mínimo margen de error, al dueño de cada barco de más de veinticinco metros, pero ahora, muchos de esos barcos habían cambiado de manos y otros, de línea excesivamente moderna para su gusto, se mecían demasiado ostentosos en los atracaderos que ocuparon antiguamente navíos de mucha más solera y elegancia.

En cuestión de barcos, Alain continuaba aferrado a su viejo *Sahara*, pese a su casco de madera, sus crujientes cuadernas, su lenta andadura y su austeridad, considerándolo ya como un fiel amigo al que se sentía en la obligación de soportar los achaques.

Ahora, tras dos años en el astillero, con motores nuevos, pintado, calafateado y remozado, sin perder por ello un ápice de su señorío y personalidad, el *Sahara* se mecía en la bahía de Mónaco, orgulloso de sí mismo y de su historia, consciente de que ningún otro de los costosísimos barcos anclados en su proximidad, había recibido ni recibiría nunca la décima parte de personalidades y mujeres hermosas que alguna vez pisaron sus gastadas cubiertas.

Vertiginosas, las vueltas de los bólidos se iban sucediendo, con los «Ferrari» copando los primeros puestos, alentados por miles de fanáticos italianos, que habían acudido para asistir al triunfo de su marca, mientras Reutemann se esforzaba por sacar aún más rendimiento a su «Lotus» y alcanzarlos, y el siempre peligroso e imprevisible Niky Lauda se veía obligado a abandonar la prueba por culpa de un fallo de su «Braham».

Luego las sirenas de cientos de navíos se dispararon jubilosas saludando a Jody Scheckter en el momento de atravesar victorioso la meta y se inició de inmediato la desbandada de yates y lanchas de todo tipo, color y tamaño, pugnando cada cual por alcanzar el primero la bocana del puerto y alejarse rumbo a Cannes, Niza, Portofino o Mallorca.

Un gigantesco destructor de la Armada americana permanecía fondeado un par de millas mar adentro, y su poderosa estructura metálica, y los blancos helicópteros que continuamente iban y venían de cubierta a tierra, se sumaban a la belleza del movido espectáculo.

Sin prisas por levar anclas ni lugar concreto al que dirigirse, Alain permaneció en proa, disfrutando de lo insólito del momento y el tibio aire de la tarde, hasta que le sorprendió el crujir de unos pasos sobre cubierta, y, al volverse, distinguió a Sacha Cotrell que había hecho su aparición como nacido milagrosamente de las aguas.

—Bonita carrera, ¿no es cierto? —fue lo primero que dijo sin saludar siquiera—. «Ferrari» ha demostrado que sigue siendo el mejor.

—Me decepcionaron los «Ligiers» —replicó mientras le estrechaba la mano con afecto, feliz de verle—. Esperaba más de ellos.

—Todos esperábamos más de ellos...

Sacha se había dejado caer con aire de cansancio sobre otra de las colchonetas y buscaba en uno de los bolsillos de su roja camisa de verano, su paquete de apestosos cigarrillos.

—Los que un día darán la sorpresa serán los «Williams» —sentenció.

—Hoy han hecho el ridículo...

—Aún no están a punto...

Alain no replicó limitándose a observarle en silencio. No podía sorprenderse por su inesperada aparición, porque Sacha resultaba siempre imprevisible, y ya se había acostumbrado a ello. Era su modo de andar por la vida y debía aceptarlo. Si había decidido acudir al «Gran Premio» de Mónaco, sus razones tendría, aunque también pudiera darse el caso de que hubiera decidido venir sin razón alguna. Sin embargo, cuando se decidió a hablar, la voz de Alain no podía disimular un leve tono de reproche.

—Creí que habías muerto —dijo—. Podías haber hecho una llamada.

Sacha Cotrell sonrió mientras encendía su cigarrillo y lanzaba la cerilla por la borda.

—Resultaba estúpido gastar tu dinero en darte la noticia que no tenía noticia alguna que darte.

—¿Y ahora las tienes? —inquirió interesado—. ¿Has conseguido averiguar cómo diablos me curaron?

El periodista negó con firmeza y el rictus de su boca, la forma como arqueó las cejas mostraban a las claras la magnitud de su ignorancia.

—Ése parece ser el secreto mejor guardado al que me he enfrentado nunca —confesó—. No creo que lo compartan más allá de diez personas, y aún no tengo ni idea de quiénes son.

Por primera vez desde que lo conocía, Alain experimentó la desagradable sensación de que Sacha le había fallado, pero se esforzó por disimular su decepción. El otro lo comprendió y pareció decidirse a contar de una vez cuanto sabía.

—Encontré la pista del dinero —dijo—. Tengo amigos en Suiza y estaba seguro de que no lo sacarían del país. Entre el día en que pagaste, y el siguiente, se hicieron al menos dos grandes depósitos que yo sepa. Uno de tres millones de dólares, y otro de cuatro. No encontré rastro de lo que falta. Los tres millones pasaron a engrosar la cuenta personal de alguien que ha logrado «ahorrar» veinticuatro millones en menos de seis años. No pude obtener su nombre. Los otros fueron a parar a la «Intercontinental Canalera de Investigaciones Farmacéuticas», una empresa fantasma que tiene su sede principal en un destartalado cuartucho de la «Avenida Tres de Noviembre», en Panamá. Pagan doscientos «balboas», el equivalente a doscientos dólares por el alquiler de la oficina, y que se sepa, nadie ha puesto los pies en ella jamás.

—¿Qué hay de la clínica?

—No existía tal clínica, sino una casa privada con un contrato de seis meses a nombre de la «Intercontinental Canalera». La desalojaron al día siguiente de tu marcha, y habían pagado por adelantado en metálico.

—Interesante...

—Mucho. Tengo la impresión de andar a la caza de asesinos, y no de alguien que se dedica a salvar la vida a desahuciados.

—¿Por qué ese misterio?

—Vine aquí para que tú me lo aclararas... ¿Por qué ese misterio, Alain? ¿Tan ilegal puede llegar a ser curar a la gente?

No tuvo respuesta porque, lógicamente, Alain no tenía respuesta alguna que dar. Pensativos, contemplaron los yates que continuaban zarpando uno tras otro entre risas, voces, llamadas y toques de sirena, mientras el sol se ocultaba a espaldas del Palacio de Rainiero y el cielo cobraba un tinte rojizo para diluirse luego en una franja casi blanca. Las gradas aparecían ya vacías y cientos de vehículos rodaban a paso de tortuga por aquel mismo Bulevar Alberto que poco antes había visto pasar a los «Fórmula Uno» a más de doscientos kilómetros por hora.

La cita de cada año con la velocidad, y tal vez la muerte, se había cumplido; un nuevo nombre pasaba a convertirse en recuerdo y estadística, pero el mundo seguía girando a las mismas vueltas de siempre, indiferente al hecho de que se hubiera batido o no el récord del circuito.

Alain se puso en pie y acudió a la borda a agitar la mano despidiendo al *Lady Ann III*, de Sir Thomas Rigby, ya que el mismo Sir Thomas se encontraba en el puente y le devolvía el saludo con un sonoro bocinazo. Habían cenado juntos la noche anterior a bordo del *Sahara* en un vano intento de Alain por animar al viejo ex canciller, que acababa de ver morir en plena juventud a la más dulce y bella esposa que el cielo hubiera podido otorgar a hombre alguno.

—Para mí era más una hija que una esposa. —Había confesado el anciano a los postres—. Y aunque siempre tuvo la delicadeza de ocultármelo, conocí a su amante y me agradaba pensar que algún día, cuando yo faltara, se casaría y le haría tan feliz como me hizo a mí. Tenía juventud, hermosura y amor, y yo les dejaría mi dinero. —Había hecho una pausa en la que su voz se quebró—. Ahora está muerta y yo convertido en un viejo inútil que navega sin rumbo.

Había apurado su copa de coñac, permitiendo que Alain le sirviera otra y tras unos largos minutos de meditación, había añadido en tono despectivo:

—Nos pasamos la vida ponderando las maravillas de la Naturaleza, y admirando su obra, convencidos de que cuanto ha logrado, desde el más diminuto de los insectos a la portentosa grandiosidad de las montañas es perfecto. Los ecólogos se atreven a asegurar que «la Naturaleza sabe siempre lo que hace», y sin embargo, ha llegado el momento de enfrentarse a la realidad y admitir que la Madre Naturaleza es, en definitiva, chapucera, inepta, caprichosa, absurda y cruel. Los tres mil millones de años de que ha dispuesto para completar su labor, no le han servido de mucho ni le han enseñado a corregir sus errores.

—La muerte de Ann fue un accidente. No puedes culpar de ello a la Naturaleza.

—Si el ser humano, con su fragilidad y sus limitaciones, constituye la culminación de esos millones de años de evolución, no cabe duda de que el resultado es más bien triste. Cualquiera de nosotros sería capaz de crear algo mejor. El que un ser, que ha necesitado cientos de generaciones de evolución para ser concebido, nueve meses para nacer, y veinticinco años para desarrollarse, pueda ser destruido por un absurdo accidente, constituye un derroche tal de energía, que ninguna empresa comercial mínimamente cuerda lo aceptaría. Sería como si «Ferrari» construyese sus coches a sabiendas de que sólo van a correr quinientos metros antes de convertirse en chatarra.

En cierto modo, Alain había compartido en un tiempo el criterio de Sir Thomas, y más de una vez en sus horas de desesperanza, cuando se veía al borde de la muerte, había llegado a conclusiones semejantes, aunque siempre culpó de ello a esa noción abstracta que se daba en llamar «destino», y nunca a la Naturaleza en concreto. Aun así había señalado, algo confuso e incómodo:

—Gracias a ella estamos aquí. Dios o la Naturaleza, como quieras llamarlo, nos creó, y sin ella no seríamos nada. No puedes obrar como si la muerte de Ann fuera un error de la Naturaleza.

—Si no hubiera muerto, habría acabado deteriorándose sin recuperación posible, lo que constituye también otro error inaceptable —había argumentado Sir Thomas—. De hecho, la Naturaleza se equivoca en el noventa por ciento de las metas que se propone, y jamás accede a enmendar sus faltas autodestruyéndose con pasmosa y casi monótona frecuencia. Los científicos calculan que han existido unos cientos diez millones de especies animales. De éstos, tan sólo dos millones subsisten aún; el resto ha desaparecido como simples bocetos mal concebidos que se arrojan un día al cesto de los papeles. ¿Aceptarías que un arquitecto con semejante porcentaje de fallos te construyese tan siquiera la caseta del perro?

—Resulta absurdo considerar fallo a esas especies desaparecidas. —Alain había tratado de mostrarse lógico—. Fueron pasos en la evolución. Cambió el entorno, cambiaron las condiciones de vida, y esos animales se extinguieron para dar paso a otros nuevos.

—De acuerdo —había aceptado Sir Thomas Rigby—. Y se llegó al último, definitivo y maravilloso eslabón: El Ser Humano. ¿Valió la pena tanto esfuerzo para acabar en unos pobres bípedos que cuando no mueren de hambre o enfermedad, dedican su tiempo a matarse los unos a los otros?

Había bebido un largo trago de su copa de coñac sonriendo con amargura.

—¿Y por qué nos matamos? Justamente por aquello que nos convierte en la obra cumbre de la Naturaleza: nuestra capacidad de hablar y pensar. Tú dices que piensas distinto a mí, y yo por lo tanto te mato. Por judío, por cristiano, por nazi o por argelino, no importa la razón. La Madre Naturaleza nos ha gastado esa broma. No nos da garras, ni dientes, ni cuernos, ni veneno con qué defendernos. Nos da la inteligencia, que impide que otros animales nos destruyan de uno en uno, pero que permite que nos destruyamos, mutuamente, por millones. ¿Acaso no es éste un nuevo error?

Alain había intentado protestar una vez más:

—¡Lo planteas de un modo...!

—Del modo que lo veo —le había interrumpido el anciano impulsivo—. Del modo que en verdad es: Un fracaso.

—Quizás esa teoría resultaría aceptable si creyese que el tiempo de la Naturaleza ha concluido, y no existe nada más allá de nosotros. Pero si únicamente nos consideramos un eslabón de la cadena evolutiva, y admitimos que la Naturaleza dispone de otros mil millones de años para continuar perfeccionándose, todo se presenta desde otro punto de vista. Es como si estuvieses prejuzgando una sinfonía inacabada...

—Me limito a juzgar lo que conozco —puntualizó el inglés—. No puedo fantasear sobre el futuro, y si llegará o no un día en que la Humanidad alcance un grado de perfección y felicidad que ni siquiera ha entrevisto hasta ahora. Si el pasado y el presente son malos, no tengo por qué presumir que el tercer acto de la comedia va a ser mejor, si sé que está escrita por el mismo autor...

Resultaba en realidad muy difícil intentar cambiar las convicciones de un anciano amargado y solitario, que no esperaba ya nada de la vida, y en el que prevalecía, sobre toda consideración, un profundo e invencible rencor hacia el destino —o la Naturaleza— que le había arrancado estúpidamente al único ser que amaba y alegraba sus últimos años.

Alain había comprendido por tanto lo absurdo de continuar aquella discusión, aunque le hubiera gustado concederle en parte la razón al confesar que el hombre ya había sido capaz de conseguir algo que la Naturaleza jamás había logrado: prolongar la juventud, y devolver la vida a un moribundo. Pero no lo hizo.

Cuando la bandera de popa del *Lady Ann III* desapareció tras el espigón del puerto, y el eco de su último bocinazo se perdió trepando por las fachadas del «Hotel de París» y el Casino, se volvió por fin a Sacha que encendía un nuevo cigarrillo con la colilla del anterior.

—Bien —admitió—. No sabemos a dónde han ido a parar la clínica ni el dinero. ¿Qué camino nos queda?

—La enfermera —señaló el periodista—. Se llama Catherine Nedjar y vivía en la rue Saint

Georges, en París. Desapareció, pero mantiene su cuenta corriente en un Banco de la misma calle. La gente de la clase media suele tener su dinero lo más cerca posible de casa y cuando se muda odia cambiar de Banco porque le horroriza el papeleo y que quede algún recibo sin pagar. Catherine es de ésas. El Banco se ocupa de pagar sus facturas y alguien le ingresa cada mes veinte mil francos nuevos. Un sueldo excelente para una enfermera, ¿no te parece?

—Excesivo, diría yo... ¿Qué has averiguado sobre Ericsson?

—Que era catedrático en Estocolmo, una eminencia en genética, y uno de los primeros investigadores sobre el ADN...

—¿Qué es eso?

—El ácido desoxirribonucleico. Los científicos lo consideran el «secreto de la vida», y no me preguntes más, porque en estos momentos lo estoy estudiando. —Le tendió un arrugado papel—. Aquí tienes la lista de los libros que me han recomendado. Con eso sabes tanto como yo.

Alain tomó el papel y leyó una serie de títulos: *Biología molecular; Ingeniería Genética; Estructura molecular de los núcleos ácidos.* Uno de ellos llamó particularmente su atención: *Los Veintiún años de la Doble Hélice.*

—Esto parece más una novela de Julio Verne que un libro científico —protestó—. ¿Qué significa?

—La estructura molecular del ADN tiene, al parecer, la forma de una doble hélice —aclaró Sacha no demasiado convencido—. Fue descubierta en 1953. Ese libro es de 1974; justo cuando acababa de cumplir su mayoría de edad.

—Bien —admitió Alain—. Intentaré leerme todo esto. Háblame de Ericsson. ¿Qué más sabes de él?

—Que desapareció en 1972. Pidió la excedencia en la Universidad y nunca regresó. Viudo, sin hijos, su única pasión era la investigación, y desoyó los consejos de sus amigos, argumentando que le aguardaba una misión muchísimo más importante que enseñar a matar sanos. Un colega se lo encontró, hace tres años, en un congreso, en Zurich. Se mostró amable, pero no dijo ni dónde, ni con quién trabajaba.

—Siempre el secreto...

—Siempre el secreto —corroboró Sacha—. Aunque hay algo que parece fuera de duda: Moralmente, Ericsson resultaba intachable. Su ética profesional y humana no admiten un pero...

—Los hombres cambian —sentenció Alain dando por concluida la conversación—. Sobre todo, si se barajan millones de dólares.

El martes cinco de junio, Sacha Cotrell aguardó junto a la puerta del Banco de la rue Saint Georges a que el cajero hiciera una seña que indicaba que aquel hombrecillo calvo y demasiado elegante que se encaminaba a la salida acababa de hacer un depósito de veinte mil francos a nombre de Catherine Nedjar.

Un «BMW» gris perla le aguardaba a la salida, y un «Renault» aguardaba igualmente a Sacha, que había tenido la precaución de agenciarse un chófer para eludir los inevitables problemas de aparcamiento en París. Siguieron al «BMW» hasta el Bulevard Hausmannn, donde el hombrecillo con aspecto de ejecutivo de segunda clase penetró en un antiguo edificio semiesquina a la plaza de San Agustín. Sacha entró tras él convencido de que resultaba irreconocible bajo la espesa barba cenicienta que se había aplicado esa misma mañana, y penetraron juntos en el ascensor. El desconocido se apeó en el cuarto piso. Sacha siguió hasta el quinto, y al salir escuchó con atención, muy quieto. La puerta de la izquierda se cerró bajo él en el cuarto piso. Descendió los doce escalones. No se distinguía placa alguna sobre la pesada madera oscura en la que únicamente destacaba el plateado acero de dos gruesas cerraduras de seguridad. Escuchó, pero no oyó nada. Bajó hasta el portal y buscó en los buzones el cuarto izquierda: «Monsieur Dupont.»

Estudió con cuidado la cerradura del cajetín de la correspondencia; se abría fácilmente con ayuda de una pequeña navaja.

Durante tres días Monsieur Dupont no recibió correspondencia alguna digna de ser tenida en cuenta. En la mañana del cuarto, y cuando el cartero hubo hecho su ronda, Sacha abrió el buzón y se apoderó con toda tranquilidad de un abultado sobre sin remitente.

A solas en su apartamento, lo abrió al vapor con el cuidado que le proporcionaban los años de práctica husmeando en documentos ajenos. Estudió su contenido. La primera hoja la constituía una larga lista de materiales, preferentemente medicamentos, que debían ser enviados en el avión del jueves. En la segunda se ordenaba comenzar las investigaciones habituales sobre «la liquidez bancaria de Wolf Stadler».

La memoria de Sacha Cotrell, aquella memoria privilegiada que le había convertido en un mito y en una especie de archivo con piernas, le remitió de inmediato a Wolf Stadler, propietario de la más antigua y acreditada fábrica de relojes de lujo de Ginebra. Levantó el teléfono y marcó el número personal de Albert Zitrone, corresponsal de *Le Miroir* en Suiza. Zitrone le confirmó de inmediato su corazonada: Stadler padecía leucemia y los médicos le pronosticaban tres meses de vida. ¿Liquidez? Podía disponer de millones de dólares con más facilidad que él, Albert Zitrone, de cinco mil francos. Fotocopió la carta, de firma ilegible, y la devolvió al sobre que cerró de nuevo con sumo cuidado. Esa misma tarde, cuando el cartero hubo realizado su ronda, la depositó tranquilamente en el buzón de Monsieur Dupont.

Al jueves siguiente, Sacha pudo averiguar sin grandes dificultades el destino de un cargamento de medicinas que coincidía con las solicitadas en la carta. El material partía en el avión de «Viasa» rumbo a Caracas como primera escala hacia Ahumada, una pequeña isla de la que nunca había oído hablar, frente a las costas de Venezuela, al norte de Trinidad.

Buscó información. Dos días después sabía que Ahumada no era más que un desolado y volcánico islote, de formación relativamente reciente, que contrastaba por su aridez con la lujuriante vegetación tropical de las islas vecinas. Nunca había estado habitada, pero recientemente, suecos, noruegos y daneses, habían levantado allí una clínica a la que acudían, sobre todo, enfermos aquejados de psoriasis, un trastorno en la pigmentación de la piel, propio de los países nórdicos.

Ese domingo, Sacha voló a Caracas y se hospedó en el «Hotel Tamanaco», desde cuyas ventanas se dominaban las pistas de «La Carlota», el pequeño aeropuerto enclavado en el corazón mismo de la ciudad que albergaba el aeroclub con mayor número de avionetas del continente.

Marcó un número de teléfono y al mediodía siguiente, el «Capitán» Hugo Valverde, con el que había sobrevolado años atrás las selvas del sur del Orinoco a la búsqueda de las huellas de un estafador, se sentaba al otro lado de la mesa en la «Cabaña Restaurant» que se alzaba junto a la piscina.

—¿Otra vez a la selva? —fue su primera pregunta.

—Esta vez volaremos en dirección opuesta —replicó—. A Ahumada. ¿La conoces?

—Desde luego —admitió el piloto—. ¿Vas a escribir sobre los leprosos?

—¿Leprosos? —se sorprendió—. ¿Qué leprosos?

—Ahumada es un leprocomio. De lujo, pero leprocomio. Al menos, eso dicen.

—No es cierto —negó Sacha, aunque en el fondo tampoco estaba muy seguro de lo que decía—. La psoriasis no tiene nada que ver con la lepra... No es contagioso, y se cura.

Hugo Valverde se encogió de hombros y se dispuso a lanzarse con auténtico entusiasmo sobre el inmenso churrasco casi crudo que acababan de servir.

Sin embargo, antes de comenzar a masticar un grueso trozo de carne puntualizó:

—Pues ésa es la idea que se tiene en las islas. Alguien corrió la voz, y los de Ahumada no lo desmintieron. —Mojó la carne en una salsa verde y picante y añadió—: Y por las dificultades que ponen, debe ser cierto. Piden tantas vacunas y permisos para entrar, que ya nadie se acerca por allí.

—¿Cuándo fuiste por última vez?

—Hace seis años... Estaban construyendo una especie de hospital inmenso... Llevé a un ingeniero o a un arquitecto... No recuerdo bien. Regresé esa misma tarde.

—¿Qué más hay en la isla?

Valverde se encogió de hombros, tratando de hacer memoria.

—Rocas y sol. Mares de lava y pájaros marinos. Y un valle con un precioso oasis lleno de palmeras.

—¿Vigilancia?

—La normal. Nada especial que yo sepa. —Observó fijamente a Sacha, que no comía, limitándose a beber, pensativo, de una enorme jarra de cerveza—. ¿Qué andas buscando? —quiso saber—. Siempre fuiste sincero conmigo.

Sacha le miró a su vez.

—Exactamente no lo sé. Pero no deja de ser sorprendente que habiendo clínicas semejantes en Grecia y Canarias se hayan ido tan lejos. —Agitó la cabeza—. ¡Y esa historia de la lepra...! Han elegido la enfermedad que más aterroriza a la gente para evitar que los curiosos se aproximen.

Los negros ojillos de Hugo Valverde se animaron con una luz de picardía.

—¿Cuándo despegamos? —inquirió.

—Cuando encontremos una buena razón para caer por la isla sin que nos echen a patadas.

—Sólo se me ocurre una —replicó el venezolano—. Caer.

—¿Qué quieres decir?

—Que nadie le niega pista a un aparato en apuros. Podemos tener una avería en ruta hacia Barbados. Es un vuelo que hago con frecuencia.

—¿Lo puedes organizar para mañana?

Apenas el sol había levantado una cuarta en el horizonte, y ya la *Piper Comanche* de Hugo Valverde había alzado el vuelo, elevándose por encima de la cumbre del Ávila para bordear la costa, y a la altura de Higuerote, internarse en el Caribe, rumbo a la isla de Margarita, su única escala antes de emprender el gran salto a Barbados, ruta que le llevaría, a poco que el viento la desviara, a sobrevolar la vertical de Ahumada.

Efectivamente, el viento les desvió lo imprescindible, y a media mañana las cónicas cimas volcánicas del islote hicieron su aparición en el horizonte, destacando, negras y rojas, contra la inmensidad de un mar azul, luminoso y tranquilo.

A los diez minutos, el aparato comenzó a perder altura visiblemente, y el «Capitán» Valverde señaló frente a él, a la derecha, el inmenso edificio en forma de pirámide truncada que se alzaba al borde de una hermosa playa de blanca arena de la que únicamente aparecía separado por una caprichosa piscina de transparentes aguas.

—Ahí los tienes —gritó para hacerse oír por encima del ronco rugido del motor—. ¡Y si son leprosos, viven como Dios!

Sacha Cotrell no respondió, y atento como permanecía al edificio y a cada detalle de la isla, no advirtió cómo el piloto apagaba el contacto, con lo que el motor lanzó una tos y se detuvo, lo que le obligó a dar un salto en su asiento, alarmado.

—¿Qué ocurre? —aulló.

Valverde rió divertido.

—¿No querías un accidente? —inquirió sin volverse a mirarlo—. Esto es un accidente.

—¡No lo dirás en serio!

Pero el venezolano sí lo decía en serio, porque la avioneta dio un bandazo como hoja arrastrada por el viento, y pareció encabritarse antes de que Valverde conectara el contacto nuevamente. La hélice giró unos momentos, permitió mantener brevemente el control, y se detuvo otra vez amenazando con mandarles de cabeza a la piscina.

Resultaba claro que Hugo Valverde había ganado a pulso su fama de loco, suicida, y extraordinario piloto de la selva. Capaz de aterrizar en una de aquellas diminutas y absurdas pistas que los buscadores de diamantes abrían en la jungla para que les avituallaran de lo más imprescindible; capaz, igualmente, de perseguir a baja altura a un ternero escapado del rebaño en los Llanos de Apure, o de aterrizar a dos mil metros de altitud sobre el macizo del Auyantepuy, aquella mascarada de fingirse en apuro sobre una isla volcánica al final de la cual sabía perfectamente que se alzaba una aceptable pista de aterrizaje, no parecía presentar para él problema alguno.

Más preocupados se encontraban, sin duda, quienes desde tierra, asomados a las terrazas del edificio, sumergidos en la piscina, o disfrutando de la playa, seguían con terror y ansiedad las peligrosas evoluciones de la frágil máquina, que, por último, renqueando, saltando y tosiendo, enfiló la cabecera de la pista y tomó tierra en el más desastroso, y a la vez perfecto, de los aterrizajes que se habían efectuado nunca en Ahumada. Cuando el motor se hubo detenido por completo y se hizo el silencio a su alrededor, Hugo Valverde sonrió de oreja a oreja, satisfecho y orgulloso de sí mismo.

—¡Voilá! —exclamó—. Si no se lo han creído, la próxima vez me estrello de verdad.

Sacha, que comenzaba a respirar de nuevo con cierta naturalidad y advertía cómo el color regresaba a su rostro y la sangre se decidía a circular normalmente por sus venas, aspiró una bocanada de aire, contuvo apenas sus náuseas, y señaló hacia el blanco jeep que corría hacia ellos brincando sobre piedras y matojos.

—Recuerda que me llamo Alex Duperey, soy belga, y te he contratado para llevarme a Barbados y Granada. No sabes más de mí.

—Duperey —repitió Valverde como para sí—. Yo casi nunca recuerdo los nombres de mis clientes: Duperey...

Alain observó a Sir Thomas, apoltronado al otro lado de la mesa y empeñado en jugar al ocho, aún consciente de que esa noche el número parecía maldito, como si una mano misteriosa lo hubiere borrado de la ruleta pero no del tapete.

Se preguntó si en el fondo el inglés tendría interés en que saliese aquel número, o si le resultaba indiferente ganar o perder, clavado allí, en la silla, del mismo modo que podría estar en pie tras el timón de su barco, o echado al sol en cualquier playa griega emborrachándose sin prisas para matar el tedio.

Se podría incluso pensar que había elegido el ocho con la seguridad de que no iba a salir nunca, castigándose a perder, como si la pequeña satisfacción de ganarle unos miles de francos al Casino Municipal de Cannes le estuviera también negado o constituyese una afrenta al recuerdo de su esposa muerta.

Alain nunca había logrado averiguar por qué razón Sir Thomas Rigby se sentía culpable por la muerte de Ann, si resultaba claro que se había electrocutado accidentalmente al enchufar un secador de cabello en el momento de salir de la bañera.

La amaba, se había casado con ella, y le había

ofrecido cuanto un hombre puede ofrecer a una mujer, incluso comprensión a la hora de aceptar que pudiera, por su edad, amar a otro.

—Me respeta —le había confesado ella una noche a bordo del *Lady Ann III*— y disfruto haciendo el amor con él más que con cualquier otro. Es tierno, elegante, limpio y bueno...

—¿Y Mario?

—Mario tiene mi edad y mi «incultura». Puedo hablar con él de cosas de las que nunca me atrevería a hablar con Thomas. Thomas es tan inteligente, tan culto y tan señor, que una muchacha, a los veintidós años, necesita un cambio a ratos...

Alain lo comprendía, y por ello mismo no comprendía por qué ahora, tres años después, Sir Thomas Rigby intentaba castigarse a base de perder una pequeña fortuna a la ruleta.

—Es estúpido —exclamó al fin—. Ese ocho no va a salir nunca.

El otro alzó el rostro, le miró y advirtió por la expresión de Alain lo que estaba pensando.

—Tienes razón —admitió—. Te invito a una copa...

Abandonaron la última puesta que ya estaba hecha, y se encaminaron al bar, desde cuya barra tres prostitutas de lujo les vieron llegar con ojos ávidos. Durante sus periódicas rondas por las mesas se habían percatado que eran «peces gordos» de los que perdían miles de francos con absoluta indiferencia, lo que significaba que podían estar dispuestos a gastarse unos miles más en un buen rato de «distracción».

Con un hábil movimiento envolvente, se abrieron de modo que únicamente dejaban libre un hueco entre ellas, que, sobre tres taburetes, parecieron encerrarles en una trampa constituida por provocativos escotes, magníficas piernas lánguidamente cruzadas, y apetitosos traseros apenas cubiertos de levísima seda.

No habían tenido tiempo de que les sirvieran dos coñacs, cuando un solícito empleado se aproximó portando un alto montón de fichas de mil francos.

—Ha salido el ocho, Sir Thomas —murmuró—. ¿Qué hacemos?

El inglés sonrió como burlándose de sí mismo, dudó un instante, y entregó una ficha al empleado y otra a la más cercana de las prostitutas.

—Eso para usted —dijo—. Y eso para que las nenas vayan a jugar y nos dejen en paz, el resto póngalo otra vez al ocho...

—¿Todo? —se asombró el hombre.

—Todo —confirmó Sir Thomas—. «Pleno», «caballos» y «carrés»... Lo que permita el límite de la mesa.

El empleado se alejó trotando. Las muchachas le siguieron despidiéndose con un ademán de agradecimiento, y Sir Thomas se apoderó de dos de los taburetes sentándose en uno y ofreciendo el otro a Alain.

—Así hablaremos más a gusto —señaló—. Comprendo que es estúpido, pero odio verlas tan putas y tan vivas.

—Se diría que odias a todo el mundo por estar vivo, y no es justo. Tampoco conduce a nada venir aquí a perder tu dinero como un loco, si ni siquiera te divierte jugar.

—No, desde luego —admitió el inglés impasible—. No es por el juego por lo que vengo. Se volvió hacia la mesa que había ocupado—. ¿Te has fijado en el *croupier* moreno? ¿El que lanza la bola?

Alain siguió la dirección de su mirada, sorprendido por la pregunta. El *croupier* aludido, un guapo muchacho con aspecto italiano, lanzaba en efecto la bola para alzar el rostro y mirarles luego pese a la distancia. Se sintió incómodo.

—Te conozco hace años —protestó—. No me vas a decir ahora que te gustan los *croupiers*...

Sir Thomas sonrió apenas, con aquella sonrisa tan suya, entre amarga e irónica.

—Es Mario —fue todo lo que dijo.

Alain le miró desconcertado, y miró de nuevo al *croupier* que apartó la vista como si supiera que estaban hablando de él, y cantó el número que acababa de salir.

—Ann lo conoció jugando... Al ocho... Él le dio seis «plenos» sin proponérselo. ¿Sabes lo que hizo Ann con el dinero? Le compró una casa a su hermana, y me regaló este anillo. Ella era así...

Permaneció un instante pensativo como rememorando el pasado y sin mirarle, con la vista fija en su copa, añadió:

—Días después coincidieron en la playa. Era el ocho de agosto. El ocho siempre fue su número mágico.

—¿Por qué te divierte atormentarte? —quiso saber Alain.

Sir Thomas se volvió bruscamente sorprendido y molesto, quizá, porque no hubiera sabido comprenderle:

—¿Atormentarme? —repitió atónito—. Yo no vengo a ver a Mario para atormentarme con celos estúpidos. Vengo para estar cerca de él, porque queriéndola tanto como yo, es el único que puede comprenderme. Nunca nos hemos hablado, salvo el día que le comuniqué por teléfono que Ann había muerto, pero cuando estamos cerca tenemos la impresión que se materializa entre nosotros.

—¿Y no es eso un modo sofisticado de atormentarte? —inquirió Alain—. Me sorprende que un tipo tan inteligente como tú se apunte a esa especie de espiritismo de feria que es el intentar atraer a una muerta a base de jugar al ocho en combinación con su amante.

Extendió la mano y la posó con afecto en el antebrazo de su amigo.

—Yo te aprecio, Thomas —añadió—. Fuiste, probablemente, el mejor amigo de mi padre, y siempre acudiste cuando te necesité. Por eso quiero ayudarte ahora: ¡Ann ha muerto! Te resulta inadmisible, lo sé, pero ya no hay nada que pueda devolverle la vida.

No obtuvo respuesta. Sir Thomas Rigby, ex premier del reino, economista, abogado, y una de las mentes más brillantes de las Islas Británicas que se había enfrentado con éxito a las terribles crisis por las que atravesó su país tras la Segunda Guerra Mundial, no parecía, sin embargo, capaz de superar aquella otra crisis, vulgar en apariencia, que significaba la pérdida de la mujer que había amado a una edad en la que ya no resultaba, ni ético ni lógico, amar de ese modo.

Alain tuvo por tanto que contentarse con hacerle compañía, bebiendo coñac tras coñac, mientras a sus espaldas continuaba el entrechocar de fichas y las risas, los murmullos, y una que otra exclamación de alegría mal contenida.

Se acompañaron luego mutuamente a lo largo del espigón del puerto, a cuyo costado se alzaba la blanca mole del Casino, y Alain confió al ya vacilante Sir Thomas a los cuidados de su resignado mayordomo, quien le ayudó a atravesar la pasarela del *Lady Ann III*, con el compungido aire de quien ha aceptado que ésa constituye ya su principal misión en esta vida.

—¡Buenas noches, muchacho! —fue lo último que farfulló Sir Thomas antes de desaparecer en el interior de su lujoso yate solitario—. Gracias por evitar que me cayera al agua...

Permaneció unos instantes a la expectativa, viendo cómo se iban apagando las luces del barco a medida que los dos hombres avanzaban por su interior, y emprendió luego, muy despacio, el camino hacia el *Sahara*, que se balanceaba quinientos metros más allá, justo en el último puesto de atraque del muelle principal.

Le agradaban aquellos paseos en la noche, contemplando los yates dormidos y la ciudad desparramada al fondo, con la «Croisette» iluminada y los letreros del «Majestic», el «Carlton» y el «Martínez» reflejándose en el mar tranquilo y oscuro de la gran bahía. Se sentía más a gusto que nunca, porque aquellos momentos de reflexión, fumando parsimonioso un cigarrillo, le hacían tomar plena conciencia de la intensidad de la nueva vida que le habían ofrecido, y cuánto de excepcional obtendría de ella si sabía aprovecharla.

A petición de Samuel Goetz, había aceptado asistir la semana anterior a una nueva reunión de lo que había dado en llamar «Club de los Elegidos», reunión a la que no acudieron en esa ocasión ni Távora, ni Ralph Collingwood, pero cuya ausencia no se hizo notar, sin embargo, sustituidos como estaban por la apasionante personalidad de Douglas Hunter, el menor de dos hermanos que habían heredado, pocos años antes, el sesenta por ciento de las acciones de la segunda empresa petrolera de los Estados Unidos.

Douglas Hunter, ex gobernador y ex embajador extraordinario de su país, había figurado a la cabeza de las candidaturas a la nominación republicana en las últimas elecciones presidenciales hasta el momento en que una misteriosa infección tropical, contraída durante una de sus misiones de paz en Asia, le había apartado por completo de la política, colocándole al borde de la muerte durante casi un año.

Alain experimentó una franca admiración por él desde el primer momento; admiración mezclada tal vez con una leve sombra de envidia, pues a su incalculable fortuna, Douglas Hunter unía una privilegiada inteligencia y, en especial, una arrolladora simpatía que derrochaba por igual con reyes y camareros.

—Leo cada mañana su periódico —fue lo primero que dijo al estrechar la mano de Alain en el momento de ser presentados—. Y lo cierto es que, salvo en lo que se refiere a la crítica literaria, el resto es excelente. ¿No se ha dado cuenta de que ese crítico suyo, *Petronio*, no es más que un pedante resentido e inepto?

—*Petronio* no es un crítico —le corrigió Alain un tanto molesto—. Son cuatro.

—¡Más a mi favor! —exclamó el otro—. Cuatro cretinos chauvinistas juntos, pueden acabar con la vena literaria de un país. Su artículo del domingo sobre el *Factor Humano* de Greene es para fusilarlos.

—Debo admitir que no lo he leído —confesó de mala gana, molesto porque Hunter hubiera puesto de entrada el dedo en una llaga abierta en *Le Miroir*. Que un gringo que, por lógica, no debería

94

ni siquiera hablar francés, hubiera sido capaz de diseccionar de ese modo su periódico, le desconcertaba.

—Tiene usted razón —concluyó—. Lo de *Petronio* me preocupa hace tiempo. Mañana los despido.

—Es lo justo —fue la sincera respuesta—. Los inútiles nunca deben ocupar puestos de responsabilidad. Y orientar a un país sobre lo que es bueno o malo en literatura, me parece algo demasiado importante como para confiárselo a pedantes y resentidos. Busque gente nueva, impulsiva y con garra, que sueñe que un día también serán escritores... Cuando una crítica es entusiasta, aunque sea adversa, invita a leer, y de eso se trata: de que la gente lea.

Douglas Hunter era igual en todo: apasionado, sincero y vitalista, y no parecía avergonzarle admitir que la operación que le había devuelto la salud y la energía, había contribuido a relanzarle al camino que llevaba hacia la Casa Blanca. En su opinión, el mundo debería estar gobernado por hombres como él: mentalmente maduros, y físicamente jóvenes.

—Cientos de ancianos chocheantes nos han conducido a lo largo de la Historia a catástrofes sin cuento que cabezas menos seniles hubieran sabido evitar —dijo, convencido de su razonamiento—. Entre locos, sifilíticos, epilépticos y viejos caducos, nos han llevado al abismo mil veces, y ya es hora de oponernos a ellos. —Hizo una larga pausa en la que observó la reacción de sus palabras en los presentes—. Si por una razón que ignoro, quieren formar con nosotros una élite, yo acepto, aunque se me tache de fascista, que esa élite debe aprender a gobernar. Hace tres años, parte de los norteamericanos me consideraban capacitado para ser Presidente. Ahora, después de haber visto de cerca a la muerte, con mayor experiencia, y un cuerpo joven, enérgico y resistente, «yo sé» que esa capacidad se ha duplicado. Y continuaré estudiando y esforzándome para que se multiplique por tres, por diez o por mil.

Oyéndole, Alain Remy-Duray, tuvo la seguridad de que Douglas Hunter alcanzaría la Presidencia de los Estados Unidos. Y meditando a solas allí, en el puerto de Cannes, inmerso en un silencio roto tan sólo por el gorgotear del agua contra el espigón y el rumor de algún coche lejano, se reafirmó en su idea, y en la seguridad de que llegaría a ser, sin lugar a dudas, un buen Presidente.

Eso era lo que le asustaba: que sería probablemente mejor Presidente que cualquier otro, porque tendría más experiencia, más entusiasmo y una mayor capacidad de trabajo. Y si algún día, dentro de quince o veinte años, volvían a operarle, su ventaja sobre los restantes candidatos se volvería tan astronómica, que nadie podría soñar siquiera con enfrentársele.

El conocimiento, el poder y el dinero acabarían por lo tanto concentrándose en unas cuantas manos; en un puñado de «elegidos» por nadie sabía quién, y tal vez llegaría entonces el momento en que aquellos que lo habían hecho posible, pasaran la auténtica factura de lo que se les debía.

La primera conclusión a la que llegaba tras una larga noche de escuchar a Douglas Hunter, y advertir cómo su entusiasmo y sus teorías prendían en los asistentes y les hacían concebir el sueño de convertirse algún día en dirigentes del Universo, era la aceptación de que esos dirigentes serían dirigidos a su vez por quienes se ocultaban en la sombra.

Podría tratarse, por lo tanto, de una gigantesca operación planificada por alguien que había descubierto, en el intrincado y aún oscuro campo de la Biología, algún tipo de inversión en el proceso de envejecimiento de las células.

Sus primeras lecturas respecto a las infinitas posibilidades de investigación que se ofrecían en torno a la naturaleza del ADN, le habían impresionado, y se preguntaba si debería continuar adentrándose en el conocimiento de un complejísimo tema para el que no se sentía preparado, o era preferible dejarlo a un lado y dedicarse a «Vivir», olvidando en lo posible sus terrores.

En el mundo de la Biología, los expertos aseguraban que, aproximadamente cada cuatro años, tenían el doble de conocimiento que en todo el período anterior de la Historia. En el campo de la Genética, esa misma duplicación ocurría cada dos años. En el transcurso de los veintiséis años que se habían cumplido desde que Watson y Crick anunciaron en Cambridge que habían descubierto «El Secreto de la Vida», era por tanto mucho, «mucho», lo que los científicos podían haber averiguado.

En la tibia noche de verano de la Costa Azul, Alain Remy-Duray advirtió cómo un escalofrío le recorría la espalda, y una mano helada parecía querer posársele en el cuello, y mantenerse allí oprimiéndole hasta casi impedirle respirar. Si existía alguna remota posibilidad de que cuanto estaba imaginando resultara cierto, debía sentirse satisfecho por formar parte de una minoría muy seleccionada. Pero frente a esa misma felicidad, el temor a un futuro en que la Humanidad se viera abocada a desembocar en una especie de «Mundo Feliz» semejante al descrito por Huxley tantos años atrás, le anonadaba.

Recordó las palabras de Sir Thomas:

«—La Naturaleza es chapucera, absurda, caprichosa, inepta y cruel, y cualquier ser humano realizaría su trabajo mucho mejor en la mitad de tiempo...»

¿Había nacido ya ese ser humano? ¿Se escondía en algún rincón de un oscuro y polvoriento laboratorio, jugando a enmendarle la plana al Creador a base de corregir los principales defectos de sus criaturas predilectas? Trató de imaginar cómo sería y cómo se sentiría aquel que podría equipararse en cierto modo a Dios por su capacidad de conceder a un cierto número de seres humanos algo que ni siquiera ese Dios les había concedido: juventud y el fin de sus enfermedades.

¿Quién, que se supiera dueño de tamaño poder, no corría el riesgo de acabar considerándose omnipotente y merecedor más que cualquier otro de decidir los destinos de sus semejantes?

Alain, que a través de toda su existencia, había mantenido una desesperada lucha por la libertad, oponiéndose con toda la fuerza de sus convicciones y sus órganos de expresión a cualquier forma de tiranía, se rebelaba contra la simple idea de que alguien concentrara tanta fuerza en una sola mano.

En los últimos tiempos, había asistido al nacimiento en Europa, y más concretamente en la propia Francia, de una llamada «Nueva Derecha», surgida como reacción de ciertos intelectuales contra los disturbios y barricadas de Mayo del sesenta y ocho. Revistas como *Nueva Escuela* y *Elementos* y asociaciones como «El Club de los Cien», constituidas principalmente por individuos extremadamente elitistas, comenzaban a considerar y propugnar que la decadente y obsoleta moral cristiana, inadecuada frente a la mayoría de los problemas que planteaban los tiempos modernos, debería ser sustituida por una nueva moral: la moral biológica o genética.

Según el escritor Louis Pauwels, o el filósofo Benoist, la lucha por el poder político, siempre temporal y pasajero, debería abandonarse en beneficio de una nueva lucha por el poder cultural, mucho más profundo y eficaz, ya que éste último era el que en definitiva permanecía para siempre en el sedimento de las masas.

Las grandes convicciones religiosas parecían condenadas al fracaso, y su desaparición tras siglos de dominar los espíritus de los hombres, obligaba a la búsqueda de una fórmula con que llenar el vacío que iba a quedar en las «almas», vacío con el que el ser humano nunca se acostumbraría a vivir.

Para Alain, resultaba patente que aquella «Nueva Derecha» pretendía llenar tal vacío echando mano a teorías biológicas, capaces de ser interpretadas de muy diversas formas. Una de ellas, y a ese extremo parecían querer apuntar los elitistas del «Club de los Cien», se constreñía a consideraciones de tipo puramente genético, que desembocarían en el convencimiento de que la herencia recibida de los antepasados era, desde todos los puntos de vista, mucho más importante que el entorno y la influencia que hubiera podido ejercer la sociedad sobre los individuos.

Basándose en ello, aquellos que hubieran recibido una herencia genética mejor, serían siempre, por lo tanto, mejores, más capacitados, y más dignos de regir los destinos de sus semejantes.

La raya que separaba tales teorías de las teorías nazis sobre la superioridad de la raza aria se le antojaba a Alain tan delgada, que se sentía incapaz de señalar con absoluta claridad por dónde cruzaba.

Y si existía algo que Alain no podía aceptar, en modo alguno, era la idea que el nazismo o cualquier otra forma de totalitarismo pudiera renacer y expansionarse.

Al cruzar la pasarela del *Sahara,* el hedor a brea quemada le avisó de su presencia aun antes de que su voz le llegara desde las sombras del butacón.

—Buenas noches —le saludó alegremente—. ¿Cómo te ha tratado el Casino?

—El Casino nunca trata bien a ese masoquista idiota que todos llevamos dentro —replicó tomando asiento en otro de los sillones, frente a él—. ¿A qué se debe esta misteriosa visita?

—No querías que nadie te relacionara con la investigación, y puede que estén intentando averiguar quién se oculta detrás de un belga llamado Alex Duperey.

—¿Conseguiste algo?

—Conseguí poner el pie en una isla. Incluso pasé una noche en ella. —El tono de su voz marcó lo profundo de su decepción—. En una casita aislada a veinte kilómetros del lugar que me interesaba. —Hizo una pausa, dolido—. Fueron muy gentiles, muy comprensivos, pero muy firmes: nadie podía aproximarse a una clínica o un pueblo sin autorización especial del director. —Rió sin ganas—. Y, desgraciadamente, el director estaba de vacaciones en Europa.

—¿Qué impresión te produjo?

La lumbre del cigarrillo ganó en intensidad mientras Sacha aspiraba con fuerza y aprovechaba para ordenar su respuesta. En la sombra, Alain pudo advertir cómo se encogía de hombros.

—Muy normal —señaló—. Médicos y enfermeras preocupados por la salud y el bienestar de pacientes de lujo, y un personal correcto y bien intencionado. Incluso pude hablar con dos enfermos que pescaban en las rocas, cerca de la casa. Eran noruegos con psoriasis, una gran confianza en curarse pronto, y satisfacción por el trato y por disfrutar de la playa y un sol que derretía los sesos. La comida excelente.

—¿Eso es todo?

—Todo. A las nueve de la mañana llegó una avioneta con un mecánico y a las doce tuvimos que levantar vuelo. —Hizo una pausa—. Necesito un yate —concluyó.

—¿Crees que por mar resultará más fácil?

—Es una zona de mucha pesca. «Pez-vela» principalmente... Puedo pescar de día y bajar a tierra de noche. Pero necesito un barco grande.

Alain negó.

—No quiero que el *Sahara* se mezcle en esto. Todo el mundo sabe que es mío. —Buscó su encendedor para prender un cigarrillo; a su luz la cicatriz del dedo destacó en la noche como llenándolo todo y advirtió de improviso que hacía dos días que no pensaba en ella y en lo que significaba, habituado a su presencia como si hubiera pasado a formar parte de su ser. Fue una vez más la cicatriz la que le hizo reaccionar, y se volvió con brusquedad—. ¿Crees que en esa isla está la respuesta?

La voz de Sacha Cotrell surgió de la oscuridad, segura de sí misma.

—Lo creo.

—En ese caso iré contigo.

—No querías mezclarte. Puedo arreglármelas solo.

—Me parece injusto pasearme por la Costa Azul perdiendo dinero en la ruleta mientras corres un riesgo al que yo te empujo...

—Es mi trabajo.

—No —negó Alain convencido—. Tu trabajo es escribir, y dudo que llegues a escribir sobre esto.

Permaneció unos instantes pensativo con la vista fija en las luces del puerto y al fin añadió:

—Me parece que tengo el barco que necesitamos.

Sir Thomas Rigby mojó el último de sus bizcochos en su tercera taza de café del desayuno, lo mordisqueó en silencio mientras escuchaba con la atención con que lo había hecho desde el principio, y al fin, parsimoniosamente, señaló:

—Te agradezco que me permitas participar en un asunto como éste, porque siempre imaginé que nada me quedaba por hacer en la vida más que esperar la muerte... —Recogió con una cucharilla el trozo de bizcocho que se había lanzado a navegar por su cuenta en el café y lo paladeó goloso—. Pero es todo un universo nuevo y maravilloso el que me acabas de descubrir. Creo que por él vale la pena reaccionar e intentar sobreponerme. ¡Dios...! Necesitaré tiempo para asimilarlo. ¿Te das cuenta de lo que puede significar para el futuro de la Humanidad?

—Me doy cuenta —admitió Alain—. Y me aterroriza. No quiero entrar a formar parte de una «élite» que domine el mundo, ni admito que nadie tenga derecho a decidir quiénes deberán constituir dicha «élite».

Sir Thomas Rigby, concluido su desayuno, buscó en los cajones de la cómoda su curvada pipa de capitán de yate y la encendió calmoso, antes de regresar a tomar asiento. Se diría que empleaba ese tiempo en rememorar algo que tenía ya olvidado, y que quisiera recuperar hurgando en lo más recóndito de su mente.

—Cuando yo era joven —comenzó—, estudié en Washington, donde mi padre era entonces embajador. En aquel tiempo los intelectuales, políticos, científicos, e incluso militares norteamericanos, vivían obsesionados por la eugenesia. Abrigaban el convencimiento de que la eugenesia salvaría a los Estados Unidos del desastre al que se encamina por culpa de la Explosión demográfica de negros, irlandeses, judíos, y todos cuantos consideraban razas inferiores. Sus partidarios sostenían que el comportamiento social del individuo venía dado por el factor hereditario, y no por el entorno en que se desarrollase, y por tanto estimaban necesario promover una descendencia de origen blanco y nórdico, limitando —o eliminando— la proliferación de descendientes de los restantes grupos étnicos.

—Eso no es más que lo que está proponiendo la «Nueva Derecha» de Pauwels y Benoist —señaló Alain.

—Lo sé —admitió el inglés—. No han inventado nada nuevo. La diferencia estriba en que los eugenetistas americanos de los años treinta aún colocaban a Dios en la cima de la pirámide, y los de ahora pretenden sustituirlo por la ciencia biológica. —Lanzó una bocanada de humo espeso y blanco y añadió apuntándole con el extremo de su pipa—: De momento, la «Nueva Derecha» sólo habla de ciencia genética y una selección natural en que la escala biológica superior deberá dirigir los asuntos de interés nacional. Más adelante comenzarán a insinuar que los locos y los retrasados mentales no tienen derecho a reproducirse, para continuar con la idea de esterilizar también a los criminales y terminar por exigir la limitación de la natalidad entre las clases que consideren inferiores. Ya en 1931, treinta Estados norteamericanos habían aprobado leyes de esterilización, y las normas de restricción a los inmigrantes de origen negro, amarillo y latino, dictadas en aquella nefasta época aún perduran.

—¿Crees que nos encaminamos a un retorno a las teorías eugenésicas?

—No es un retorno —le replicó Sir Thomas convencido—. Es una simple continuación. Las minorías totalmente, porque ése es un sentimiento arraigado en todos aquellos que se consideran superiores al resto de los mortales. Pero las atrocidades que los nazis cometieron con los judíos, los gitanos, los eslavos y cuantos consideraban indignos, obligó a los incondicionales de la eugenesia a autosilenciarse por un tiempo.

—Tal vez consideren que hemos empezado a olvidarnos de los campos de exterminio —admitió Alain—. Recuerdo que recientemente *Le Miroir* publicó unas declaraciones de Sir Francis Crick, premio Nobel por el descubrimiento del ADN, en las que abogaba por que ningún recién nacido fuese considerado ser humano hasta haber pasado ciertas pruebas genéticas. Al que no las pasara con éxito se le debería matar... ¿Quién decretaría cuáles son tales pruebas, y si el tener por ejemplo la piel negra, los ojos ovalados, o los pies demasiado grandes es razón suficiente como para negar el derecho a la vida?

—Quizás ésos a los que buscas... —puntualizó Sir Thomas—. Y confieso que en parte me gusta la idea de ayudarte a encontrarlos porque deseo conocer a quien ha sido capaz de enfrentarse a la Naturaleza y demostrar que puede hacer ciertas cosas mejor que ella. —Le observó con atención—. ¿Realmente te sientes como si te hubieran rejuvenecido veinte años...? —Ante el mudo gesto de asentimiento, sonrió divertido—. ¿No podrían quitarme a mí cincuenta...? Les pagaría con todo lo que tengo —agitó la cabeza—. ¡Dios bendito! ¡Qué maravilloso sería empezar de nuevo desde cero, con aquel entusiasmo y aquella cabezonería que te permitía enfrentarte diez veces al mismo fracaso sin sentirse descorazonado.

—Llévanos a Ahumada, y tal vez puedas proponérselo tú mismo.

—Demasiado tarde —replicó convencido—. Lo presiento. Pero aun así, cuenta conmigo y con mi barco. Desde mañana tu amigo y tú pasaréis a convertiros en mi tripulación.

—¿Podremos manejarlo los tres solos?

—¿Esto? —se asombró—. Al *Lady Ann III* podría pilotarlo yo solo con una mano atada a la espalda... Todo es automático y de hecho cuando no espero invitados, acostumbro a navegar con tres tripulantes. Nos llevaremos también al cocinero. Es chino y jamás se entera de nada...

—Lo cierto es que odio pelar patatas —confesó Alain—. No se lo digas a nadie, pero me pasé la guerra de Argel pelando patatas.

«Localizado entre los cromosomas de la célula, el ADN toma la forma de una doble hélice larga y enrollada como una microscópica escalera espiral. Cada escalón constituye una "unidad básica", compuesta únicamente por cuatro nucleótidos químicos diferentes. La ordenación de esas "unidades básicas" en una variedad prácticamente infinita de combinaciones, da lugar a los genes. Del desarrollo de esos genes, según estén dispuestos, nacerá una rata, un peral o un ser humano.»

«Hoy en día y cuando aún no se han cumplido treinta años del descubrimiento del ADN, los científicos son capaces de interpretarlo, manipularlo, e incluso darle instrucciones, por lo que muy pronto se podrán practicar mutaciones en laboratorio que hubieran necesitado millones de años de evolución natural.»

«En la actualidad, resulta posible tomar células de dos animales diferentes, por ejemplo una vaca y un conejo, y unirlas, produciendo una nueva célula híbrida que tenga parte de las propiedades de ambos. No constituye una fantasía de ciencia-ficción el aventurar que en los próximos diez años, será posible obtener la reproducción de este tipo de células llegando a la creación de monstruos o "quimeras", semejantes a aquellas otras quimeras de la mitología griega, que poseían cabeza de león, cuerpo de cabra y cola de dragón.»

«En 1973, los profesores Stanley Cohen y Helbert Boys, aislaron partes del ADN de dos organismos que jamás se hubieran mezclado en la Naturaleza, y los juntaron, creando lo que dieron en llamar la "quimera del ADN combinado". Su trabajo causó un tremendo escándalo entre científicos, intelectuales y teólogos de todo el mundo, pues significaba el primer y definitivo paso hacia la creación de auténticos monstruos. Podemos admitir que el doctor Frankenstein se encuentra ya entre nosotros, y que trabaja ayudándose de un simple microscopio sin recurrir a los cementerios para obtener el material básico que necesita para sus experimentos.»

Alain permitió que el libro descansara sobre sus rodillas y lanzó una rutinaria ojeada al piloto automático del *Lady Ann II* que navegaba sin desviarse ni un grado del rumbo señalado, hacia la isla de Tenerife, desde donde iniciaría su gran y definitivo salto, cruzando el Atlántico hasta las costas de Ahumada.

Lo que acababa de leer, al igual que cuanto había leído en los últimos días sobre biología e ingeniería genética, le impresionaba vivamente, porque había abierto su mente a campos nuevos de los que ni siquiera sospechaba la existencia. Que cientos de hombres se encontraran en aquellos momentos investigando, probando, o «jugando», subvencionados por Gobiernos o por voraces empresas multinacionales, a la espera de aplicaciones prácticas a posibles nuevas formas de vida, le producía escalofríos de terror.

Para la mayoría de los científicos, ni siquiera la guerra nuclear constituía un peligro tan grave para la especie humana como aquella loca carrera investigadora que se había desatado en torno a la genética, ya que existía el gravísimo peligro de obtener formas de vida que, una vez desarrolladas, no pudieran ser controladas ni contrarrestadas.

Tal vez se desembocara en la creación de una nueva enfermedad desconocida que afectase a millones de personas, o tal vez se descubriese un medio de regenerar los tejidos: un hallazgo que habría hecho posible que Alain, Goetz, Collingwood, Hunter, Goldfarb y tantos otros, pasaran a tomar parte de un grupo de elegidos.

¿Por qué él?

La pregunta se repetía una y otra vez en su mente ya que se negaba a admitir que se tratara de una simple cuestión de dinero. Le preocupaba sobre todo el hecho de que, llegado el momento, trataran de presionarle y chantajearle para que pusiera su cadena informativa al servicio del nuevo orden de cosas que había de llegar.

Alain conocía mejor que nadie la penetración y capacidad de influencia en la masa, que poseía su organización. *Le Miroir*, independiente y objetivo, se había ganado el respeto del lector medio francés, y sus revistas llegaban cada semana a casi una quinta parte de los hogares del país. Y aquella premisa básica de la «Nueva Derecha»: «Nuestro objetivo primordial es hacernos con el poder cultural, mucho más importante y duradero que el poder político», le obsesionaba.

Un blanco buque de línea ganaba en tamaño por proa. Tomó los prismáticos para observarlo mejor. El mar estaba en calma con viento suave bajo un cielo muy azul, salpicado aquí y allá por tímidas nubes de verano, y el navío avanzaba a toda máquina rumbo a Gibraltar, dispuesto a pasar por babor a no más de una milla de distancia. Diminutas figuras pululaban por cubierta, e imaginó en el puente de mando al capitán observando también con ayuda de prismáticos al lujoso yate que se aproximaba por estribor.

¿Qué pensaría aquel hombre si pudiera averiguar quiénes iban a bordo del *Lady Ann III* y hacia dónde se dirigían?

«Vamos a comprobar si es cierto que existe una fuente de eterna juventud», le dirían.

Sonrió a sus propios pensamientos, aunque en el fondo hacía tiempo que tales pensamientos no le divertían. A medida que profundizaba en cuanto rodeaba su operación, se iba hundiendo más y más en obsesiones que amenazaban con destruirle. Tanto mejor hubiera sido, quizás, aceptar las teorías de Samuel Goetz limitándose a disfrutar de lo que había obtenido y rechazando cualquier implicación que pudiera amargar su nueva existencia.

Pero le resultaba imposible, porque tal como le predijeran durante aquella primera cena de los «Elégidos», comenzaba a tener la impresión de que era «otro» o, al menos, de que una especie de segunda personalidad se apoderaba de él.

La sensación no había sido auténticamente tangible más que en dos ocasiones hasta el momento. La primera, al sorprenderse mirándose una mañana en el espejo como si se buscara en el fondo de los ojos, asombrado por la vejez de su rostro cuando de un modo consciente ese rostro se le antojaba sin embargo cada vez más joven. Había sido como si otra persona le mirase sin reconocerle.

La segunda vez que experimentó idéntica impresión, fue durante la corta escala en el puerto de Barcelona, cuando las voces en español se le antojaban tan familiares como si las hubiera estado escuchando toda su vida. Durante un instante le asaltó la necesidad de hablar aquel idioma, convencido de que podía hacerlo, aun a sabiendas de que no sería capaz de decir más que «Buenos días», «Sangría» o «Paella».

Se había convencido, por un brevísimo espacio de tiempo, de que era su lengua, o lo había sido, y un ser distinto, que nada tenía que ver con él, pugnaba por hablarla. Instintivamente, había buscado la cicatriz de su dedo, y de improviso recordó claramente cómo se había cortado con un herrumbroso cuchillo de pesca.

Pero Alain sabía que nunca se había hecho aquel corte pescando, porque jamás había sido aficionado a la pesca.

Y, pese a ello, contra toda lógica, estaba convencido de que aquella cicatriz provenía de una jornada de pesca, aunque jamás hubiera pescado. Era como para volverse loco.

Probablemente.

O era tan sólo inexplicable, sin que el hecho de que no tuviera explicación significara necesariamente locura.

¿Acaso no le hubieran tomado por loco si hubiera contado que le había ocurrido algo que sabía perfectamente que nunca le había ocurrido, pero que estaba convencido que había sucedido, y que como prueba podía mostrar una cicatriz...?

Buscó en su pantorrilla el «antojo» en forma de hoja de laurel y le tranquilizó una vez más verlo en el mismo sitio aunque un tanto apagado ya por el tiempo o porque el vello lo disimulaba. De niño, con pantalón corto, aquella mancha destacaba sobre su piel muy blanca y más de una vez creyeron que se trataba de una hoja seca que se le había adherido a la pierna. Ahora, en sus momentos de mayor desconcierto, cuando su mente se echaba a volar fantaseando, sobre las más inverosímiles teorías, aquel «antojo» tan suyo, le devolvía a la realidad y a la paz de espíritu. Pese a ello, día a día se iba apoderando de él la sensación de que compartía con alguien la existencia, y que llegaría un momento en que ese «alguien» reclamaría más espacio y más participación de su vida en común.

Durante unos días, a solas en el *Sahara* fondeado en Saint-Tropez, le dio vuelta a la posibilidad de rogar a Claudine que le enviara desde París cuantos libros encontrara sobre casos de «doble personalidad», pero desechó la idea. Ahondar en ello le conduciría a obsesionarse, y no le proporcionaría solución válida alguna, pues su situación, como la de Goldfarb, Távora o los otros, nacía de causas que ningún psiquatra podía haber estudiado con anterioridad, y por lo tanto, las experiencias obtenidas de otros pacientes, de nada servirían. El blanco buque de línea cruzaba ahora a su altura, y algunos pasajeros agitaban la mano, saludando. Alzó la suya e hizo sonar la sirena con un bronco bramido que la nave devolvió como en un eco.

Cuando ya el mar se había tragado la blanca estela y ante él no se abría más que una superficie azul, monótona e infinita, Sacha Cotrell hizo su aparición en el puente con los ojos rojos de sueño, y una humeante taza de café en la mano.

—Me has dado un susto con ese sirenazo —comentó—. Me caí de la cama.

—Al fin y al cabo tienes que relevarme dentro de diez minutos —señaló.

—¿Qué tal la guardia?

—Tenía razón Sir Thomas —dijo aceptando de buena gana la taza de café que el otro le tendía—. Este barco navega solo. Compararlo con el *Sahara* es como comparar el «Concorde» con un carro de bueyes.

Sacha, que había lanzado una ojeada de rutina al radar, y curioseaba entre la multitud de instrumentos que se amontonaban en el puente de mando, reparó en el libro que Alain había dejado sobre la mesa de mapas, y lo señaló con un gesto:

—Interesante, ¿no es cierto?

—Impresionante. ¿Cómo es posible que incluso nosotros, que nos consideramos cultos, conozcamos tan poco sobre algo tan importante para el futuro de la Humanidad?

—Porque la Ciencia puede llegar a ser apasionante o refractaria —sentenció el periodista—. Al científico tan sólo le interesa esa Ciencia, pero el profano la ignora porque no está preparado para asimilarla más que en sus conceptos más simples, que resultan, por ello mismo, los menos atrayentes.

—Dice aquí, que aunque casi dos millones de norteamericanos han nacido ya por inseminación artificial, tan sólo una minoría muy restringida de esos mismos norteamericanos tiene una idea de lo que significa. Curiosamente lo ignoran incluso muchos de los que han nacido gracias a esa inseminación arficial. Ni siquiera conocen su propio origen.

—¿De qué te sorprendes? —rió Sacha—. ¿Acaso conocemos nuestro propio origen? Hemos pasado miles de años buscando a un Dios que nunca encontramos, y ahora pretendemos dar de pronto un salto en el vacío empezando a abrigar el convencimiento de que todo, el rosal, el hombre o la foca, procede de una misma célula que se formó accidentalmente y fue dividiéndose y dividiéndose... —Golpeó el libro con la mano—. Te lo explican de un modo mucho más convincente que cuando la Biblia cuenta que Dios creó a Adán partiendo del barro y a Eva partiendo de una costilla de Adán.

—¿Acaso creíste alguna vez en la costilla y en el pecado original?

—No, desde luego.

—¿Y crees ahora lo de esa célula única?

—Entra mucho más en los límites de mi comprensión, y resulta claro que tenemos algo en común con el rosal y la foca: El ADN. Y si está demostrado que el ADN es lo único que compartimos absolutamente todos los seres vivientes, ¿por qué no aceptar que es el origen de la vida?

—¿Un ácido? —se asombró Alain tratando de sentirse escandalizado, aunque en el fondo de su mente sabía que no lo estaba—. ¿La combinación de cuatro nucleótidos químicos? ¿A eso nos reducimos...? ¿En cuál de esos nucleótidos se esconde el alma, la bondad, o el amor...? ¿Cuál de ellos vivirá eternamente...?

Sacha había tomado asiento sobre la mesa de mapas, y se disponía a apestar una vez más el ambiente con sus asquerosos cigarrillos de los que había cargado una enorme provisión a su paso por Barcelona.

—Ya no estás en edad ni en posición de aceptar que al nacer nos soplan un alma, y al morir ese alma vuela al más allá y se quema o toca el arpa, según haya jodido más o menos en la vida —dijo—. ¡Es ridículo!

—Quizá resulte ridículo —aceptó Alain un tanto molesto—. Pero es lo único a lo que han podido aferrarse millones de seres humanos, generaciones enteras, para enfrentarse a las dificultades y amarguras de una existencia muy difícil. A la mayoría no les sostuvo nunca más que esa esperanza en un mundo mejor, el más allá, y la fe en un Dios justo que repartiría premios y castigos al final del camino. No tenemos derecho a burlarnos de todo eso, destruirlo, y despreciarlo porque unos chiflados con ayuda de microscopios comienzan a descubrir cosas de las que no están siquiera seguros de cómo funcionan. Son aprendices de brujo y nos equivocamos si nos lanzamos alegremente en sus brazos, renegando de todo lo anterior.

—Pues va a ocurrir, Alain —Sacha le apuntó con el dedo seriamente antes de encender su cigarrillo—. Va a ocurrir en los próximos años. Lo queramos o no, hemos llegado a un gran cruce de caminos. Será como cuando se aseguró por primera vez que la Tierra era redonda: un momento histórico. A partir de ese día, la Humanidad tendrá que aceptar la realidad, le guste o no.

«Estamos constituidos por un conjunto de nucleótidos químicos maravillosamente combinados a través de millones de años de tentativas y evoluciones...»

La costa aparecía baja, de negra lava cuarteada, salpicada aquí y allá por blanquísimas playas de arena coralina en las que nacía de tanto en tanto alguna tímida palmera, asombrada de su propia audacia al sobrevivir frente a aquel paisaje hostil y casi extraterrestre.

Subía luego la lava hacia la pelada cumbre de una hilera de volcanes dormidos que, rojos, negros y rosados contrastaban contra un cielo de un azul rabioso en el que navegaba una pequeña nube blanca, tan asombrada de su audacia y soledad como las propias palmeras.

Sobre el único acantilado, al Norte, un volcán, cortado en dos por alguna terrorífica explosión, se abría al mar en forma de semicírculo en el que miles de aves marinas graznaban, disputándose cada centímetro de cornisa de roca en que anidar; mientras sus huevos, puntiagudos y casi cónicos, giraban sobre sí mismos, empujados por el viento. Amenazaban a cada instante con caer al abismo, y de hecho muchos lo hacían, estrellándose contra el mar donde los peces los devoraban con presteza arriesgándose a su vez a resultar extraídos del agua y devorados por los indignados progenitores de los huevos perdidos.

Más allá de la costa, la línea de horizonte no se quebraba con accidente alguno y podría pensarse que la isla había quedado abandonada en un universo azul tras el indescriptible cataclismo del que emergió, abrasada y ennegrecida, tan chamuscada y mustia, que quienes por primera vez la visitaron no tuvieron necesidad de pensar demasiado para encontrar el nombre que más le cuadraba: «Ahumada.»

A barlovento, llegando de la inmensidad del Atlántico, hizo por fin su aparición un punto blanco, diminuto, veloz y elegante, que cortaba el agua como el bisturí del cirujano rasga la piel, con un levísimo rumor que a veces se convertía en silbido, porque los poderosos motores del *Lady Ann III*, situados muy profundos, a popa, silenciosos en su prisión de paredes acolchadas, no alcanzaban ni a transmitir su vibración a las cubiertas.

El yate, con sus veintiocho metros de eslora, esbelto y afilado, semejaba una blanca gaviota deslizándose a ras de agua, y a veces cabría pensar que únicamente se atrevía a rozarla.

Desde proa, Alain, Sacha y Sir Thomas estudiaban la costa, hostil y agreste, a la que se aproximaban y que les iba permitiendo distinguir sus contornos, como si una tras otra descorriera ante ellos suaves cortinas de gasa.

Sacha, que iba marcando cada punto sobre una carta marina, los señalaba más tarde con la mano.

—Allá, en el extremo Norte, han construido la pista de aterrizaje... Frente a nosotros, protegido del viento por las montañas, se encuentra el hotel, la clínica o como queráis llamarlo, y en el valle interior, tras esa misma montaña, han levantado el pueblo.

—¿Quién vive en ese pueblo? —quiso saber Sir Thomas.

—Camareros, albañiles, obreros, electricistas, cocineros, enfermeras... —Sacha no parecía del todo seguro—. Imagino que también vivirán allí los médicos que tengan familia.

—¿Cuántos habitantes en total?

116

—¿En el pueblo? —Se encogió de hombros—. Unos mil como máximo. Resultaba muy difícil calcularlo desde el aire. Vi algunos huertos e incluso animales. Por lo que pude averiguar, suelen cuidarlos los enfermos.

—¿Y el agua?

—Han construido una potabilizadora. En una pequeña bahía al otro lado de la isla. Están bien organizados y se nota que hay dinero.

—En parte mío —sonrió Alain—. Al precio que cobran acabarán convirtiendo ese peñasco en un paraíso.

Quince minutos después, el perfil de la única edificación que se distinguía a todo lo largo de la costa resultaba ya visible, y con ayuda de los prismáticos pudieron examinarla en todo detalle, maravillándose de la espléndida arquitectura funcional y moderna, constituida por un edificio de cinco plantas escalonadas en inmensas terrazas, en forma de pirámide truncada, rodeado de jardines, playas y piscinas al borde de una diminuta ensenada en la que se mecían pequeños yates y ligeras embarcaciones de recreo.

Su aspecto, visto desde la distancia, resultaba a la vez sobrio y acogedor, y llamaba la atención por la forma en que parecía adaptarse al paisaje de lava negra cuarteada y doliente que nacía en los límites de sus jardines.

—Llegar hasta ahí a través de esos mares de lava debe resultar prácticamente imposible —señaló Sir Thomas, que había cambiado el rumbo del *Lady Ann III* haciendo que éste discurriera ahora paralelo a la costa y alejándose hacia el extremo sur de la isla—. La última erupción de esos volcanes no debe tener más de cien años.

Sacha, que enfocaba con sus prismáticos el edificio, replicó sin dejar de mirar hacia allí:

—A principios de siglo reventó la boca Oeste —luego hizo una pausa—. Nos observan con un telescopio.

En efecto, en la más alta de las terrazas, podían distinguirse tres diminutas figuras que miraban hacia el yate. Una de ellas se encontraba agachada, espiando a través de lo que parecía un largo y potente telescopio clavado en tierra.

El *Lady Ann III* continuó su marcha, media hora después costeaba el promontorio Sur, y con la caída de la tarde se alejaba mar adentro a sotavento, adentrándose en el Caribe con rumbo a las costas de Venezuela.

Pero cuando el rojo disco del sol comenzó a hundirse justo ante su proa, Sir Thomas redujo la marcha de los motores que nunca había alcanzado su máxima potencia, y apenas las sombras de la noche se apoderaron del mar, apagó las luces de situación, se cercioró por medio de la pantalla del radar de que ningún navío navegaba por las proximidades, y giró en redondo poniendo nuevamente rumbo a la isla.

Era ya noche cerrada, cuando lanzaron un ancla en quince metros de fondo, a media milla de la costa, frente a una diminuta playa de la que —si Sacha no recordaba mal— partía un caminillo que conducía al interior de la isla y al pueblo escondido en el valle.

—Trepar por la montaña será escarpado y peligroso, pero no debe tener más de tres kilómetros.

Botaron al agua una de las lanchas neumáticas y se alejaron en silencio del navío en sombras en el que el cocinero chino dormía ya desde dos horas antes, severamente advertido por su patrón de que no se le ocurriera encender luces ni hacer ruido.

El agua aparecía tan quieta que más semejaba una piscina que un trozo de mar, y sin un rumor ni levantar espuma, se aproximaron a la orilla y vararon la embarcación, ocultándola entre rocas. Comprobaron satisfechos que el *Lady Ann III* no era más que una sombra entre las sombras, y guiándose por la lógica y por la escasísima luz de las estrellas, encontraron el comienzo de un camino por el que comenzaron a ascender; Sacha en primer lugar, Alain muy cerca de él, y el inglés cerrando la marcha.

Fue una caminata dura, cansada y peligrosa,

en la que Alain se vio en la obligación de tomar al periodista por el cinturón, atento a sujetarlo si en un momento determinado perdía pie y se precipitaba al abismo, ya que en ocasiones el senderillo giraba inesperadamente en ángulo casi recto siguiendo los caprichos de un terreno volcánico resbaladizo e imprevisible que se hundía bruscamente en el mar.

Emplearon más de una hora en su ascensión hasta la cumbre y ya en ella, con mayor claridad, terreno despejado y escaso peligro, tardaron diez minutos más en alcanzar el borde que dominaba el valle, en cuyo fondo y por cuyas laderas se extendían las luces del pueblo.

Hasta ellos llegó el rumor de voces lejanas, una música tenue, y ladridos de perros.

Tomaron un descanso, estudiaron la situación, y emprendieron el descenso por un camino que se hacía cada vez más ancho y transitable, ya que de él nacían otros senderos que debían conducir a las playas del Norte, probablemente las más frecuentadas por los lugareños de la isla.

Cruzaron más tarde, ocultándose, ante la primera de las casas de la ladera, sobre cuya puerta brillaba una luz, mientras otra aparecía velada por una cortina roja en la ventana del primer piso, y aceleraron el paso en la cuesta abajo, aunque Sir Thomas refunfuñaba y jadeaba, agotado por una larga marcha a la que no estaba sin duda acostumbrado.

—Esperadme —susurró—. Ya no estoy en edad para estos trotes...

Tomaron asiento al fin sobre un pequeño muro de contención, a no más de cien metros de una calle que iba a desembocar en una ancha plaza rodeada de palmeras. En realidad, las palmeras se alzaban por todas partes, y no cabía duda de que constituía un oasis natural antes de que se levantaran las primeras edificaciones, que se habían desparramado aquí y allá, adaptándose a la topografía del lugar.

—Debe ser muy bonito de día —musitó Sir Thomas.

—Las casas están pintadas de blanco y parece un Nacimiento —replicó Sacha en el mismo tono de voz—. No tiene nada que ver con el resto del Caribe. Recuerda, más bien, un paisaje palestino.

En ese momento, Alain abrigó la seguridad de que conocía el lugar, sabía cómo sería de día, dónde se encontraba situada cada casa y cada calle, y era una sensación tan fuerte que casi le hacía daño. Quiso decírselo a sus compañeros, gritarles que ya había estado allí más de una vez, pero en ese momento dos hombres surgieron de una de las casas iluminadas, probablemente una taberna, e iniciaron una lenta marcha hacia ellos, seguidos por un perro que había estado esperándoles dormitando junto a la acera.

—¡Vamos! —masculló Sacha, cuando no le cupo duda de que se aproximaban y sus voces ganaban fuerza—. Tenemos que escondernos.

Cruzaron el camino y se agazaparon, tropezando y renegando, intentando evitar que las piedras rodaran pendiente abajo, buscando a tientas un escondite, mientras los hombres se aproximaban, llegaban a su altura y continuaban luego su camino hacia la casa, aunque el perro, pequeño y nervioso, se detuvo y comenzó a ladrar furiosamente a Alain que era el que se encontraba más cerca.

Casi al instante le respondió un coro de ladridos en el pueblo, como un eco que se fuera propagando de casa en casa y de patio en patio, hasta que uno de los hombres se volvió, buscó una piedra y la lanzó con fuerza hacia las sombras.

—¡Vamos, chucho! —gritó en español—. ¡Deja ya el escándalo!

La piedra no llegó a alcanzar al animal, pero debió parecerle suficiente aviso, ya que lanzó un último gruñido, mostró los dientes y se alejó en pos de su amo, que le hizo penetrar en la casa no sin amenazarle con una patada.

A la hora de regresar al sendero, Sir Thomas sangraba por un rasguño en la pierna y Alain se había aplastado un dedo entre dos piedras.

—Creí que nos descubría —exclamó con rabia

mal contenida—. ¡Maldito bicho!

Sentados en el suelo como estaban, observaron inquietos las luces del pueblo que se iban apagando una tras otra, mientras las escasas puertas y ventanas que permanecían abiertas se cerraban y en la plaza no quedaban ya más de cuatro o cinco personas que seguían charlando en torno a un viejo cenador de café. Diez minutos después, incluso aquella tertulia se había disuelto y sus componentes desaparecían, tragados por la noche para que una infinita paz, turbada tan sólo por algún lejano ladrido, se apoderara del lugar.

—¿Qué hacemos?

La pregunta reflejaba el sentimiento común. Bajo ellos se extendía el pueblo dormido, y más allá, no sabían exactamente dónde, un enorme edificio, probablemente dormido también.

—Turismo... —ironizó Sacha—. Tan sólo nos falta encontrar un guía que nos enseñe la isla. —Su tono de voz cambió—. Es mejor que volváis al barco. Esperaré que amanezca, e intentaré pasar inadvertido.

—Yo me quedo.

El periodista se volvió a Alain.

—El barco no puede permanecer donde está —dijo—. En cuanto amanezca lo descubrirán y empezaran a buscarnos.

—Yo puedo llevarme el barco —señaló Sir Thomas.

—¿Sólo?

—Lin-Yu me ayudará —aclaró—. Nos quedaremos al pairo mar afuera y regresaremos de noche.

Alain y Sacha se miraron y observaron luego a Sir Thomas que parecía seguro de sí mismo y aguardaba tranquilo una decisión.

—¿Podrías regresar al barco sin problemas? —quiso saber Alain preocupado.

—¡Oh, vamos! —protestó Sir Thomas—. Soy viejo, pero no estúpido. Recuerda que hice la guerra en Birmania. —Sonrió en la oscuridad—. Además, es cuesta abajo.

—Ese acantilado es peligroso —le hizo notar el periodista.

—Pronto saldrá la luna —apuntó el inglés—. No estará muy crecida, pero algo ayuda... —Le golpeó la pierna con un gesto que quería ser tranquilizador—. No te preocupes por mí. Bajaré con cuidado.

La última ventana del pueblo se había cerrado, tan sólo tímidas bombillas iluminaban las esquinas, dando más sombras que luz, y las farolas de la plaza parecían haberse sumido en una duermevela que no alcanzaba a alumbrar los rincones de los soportales. Más allá todo había quedado sumido en las tinieblas, y comprendieron que intentar averiguar algo en semejantes condiciones significaría dar palos de ciego, arriesgándose a que les descubrieran. Se hacía necesario esperar la luz del día.

—Bien —admitió al fin Alain—. Vuelve al barco y regresa mañana.

—Lo haré cada noche —puntualizó Sir Thomas—. Y si a las cuatro de la mañana no habéis llegado, me haré de nuevo a la mar.

Se estrecharon la mano con afecto, se desearon suerte, y Sir Thomas inició el regreso, cruzó como una sombra ante la casa ahora apagada y se perdió en la noche, colina arriba.

Dejaron transcurrir unos minutos hasta tener la seguridad de que había alcanzado la cumbre, e iniciaron a su vez la marcha, evitando las esquinas iluminadas, para alcanzar los campos de maíz y caña que el periodista aseguraba haber distinguido desde el aire, y que se encontraban, en efecto, al sur de las casas.

Bordeaban las lindes del cañaveral cuando hizo su aparición una luna tímida y muy pálida que les sirvió para orientarse, adentrándose al fin en un maizal en cuyo centro buscaron un lugar en el que tumbarse con la intención de dormir.

Para Alain, constituyó aquélla una de las noches más inquietas de su vida, ansiando que llegara el nuevo día para cerciorarse de que aquella inexplicable sensación de que conocía el lugar, era cierta.

Había sido como un *flash* vertiginoso que pasaba por su mente; un rápido fogonazo, tan real, que cerraba los ojos y volvía a ver las blancas casas, la negra lava que trepaba por la colina, y las altivas palmeras desparramándose, caprichosas, por el estrecho valle salpicado de diminutos campos de cuidados cultivos.

Intentaba averiguar qué significado tendría si llegaba a ser así en realidad, pero no lograba encontrar ninguno. Era idéntica sensación a la que experimentó al pretender que podía hablar español en Barcelona, aun teniendo la seguridad de que jamás había aprendido dicho idioma.

Y le asustaba. Le asustaba que fuera «otro» el que hablara español, el que conociera aquel pueblo y el que estuviera removiéndose en su interior, desperezándose, dispuesto a salir de un largo sueño.

Y era por eso por lo que no podía dormir; por lo que no quería dormir, asaltado por el temor de que mientras lo hiciera, el desconocido ganaría fuerza; se apoderaría de más lugar; se fortalecería disputándole su espacio interior.

Alain comenzaba a sospechar ya cuál sería el más costoso de los precios que tuviera que pagar por su vida y por su juventud. No serían los diez millones de dólares, ni aun siquiera el tener que someterse algún día a las presiones de quienes quisieran utilizar su influencia o sus periódicos. Sería aquella duda y aquel miedo; aquella necesidad de saber la verdad, y, al mismo tiempo, aquel deseo de no llegar a saberla nunca; una angustia que acabaría por volverle loco, porque se enfrentaba a una situación a la que no se había enfrentado antes ningún ser humano.

Cerró los ojos y de nuevo el pueblo se le apareció claramente a la luz del día. Abrió los ojos, y allí estaba, a la luz lechosa de la primera claridad, tal como lo había visto antes de sumergirse en un corto sueño de hombre agotado. Casas blancas, lava negra, colinas, palmeras y los huertos cerrando el largo valle. Un cielo más azul de lo que había imaginado, y una luz sesgada que comenzaba a tomar tintes dorados, avanzando casi a hurtadillas entre el maíz para ir a detenerse sobre su mano, lamer aquella cicatriz que alguna vez se hizo pescando y alcanzar al fin el rostro de Sacha, que abrió los ojos, emitió un sonoro bostezo y sonrió con aire divertido.

—Dien-Bhien-Phu... —dijo—. Me recuerda aquellos amaneceres de Indochina, escondido en la selva, sin saber lo que nos depararía el nuevo día y si lo disfrutaríamos completo.

—¿Nunca tienes miedo?

—Siempre —admitió convencido mientras se ponía de rodillas y asomaba la cabeza por encima de las hojas de maíz—. Pero hace ya mucho que descubrí que el miedo es una de las cosas más divertidas que existen. Únicamente aquellos que aprenden a disfrutar a fondo de su miedo; pueden dedicarse a una profesión como la mía. Todos los corresponsales de guerra que conozco son los miedosos con más cojones que puedas imaginar.

—¿Incluso Raymond?

Sacha se volvió hacia él y sonrió de nuevo.

—Raymond pasó tanto miedo en su vida que acabó por acostumbrarse, se descuidó, y lo mataron. —Se sentó en el suelo—. Esa gente comienza a moverse —comentó. Luego miró a Alain de frente—. Si un corresponsal de guerra no pasa miedo, no puede contar lo que ocurre en un campo de batalla, porque allí, más que tiros, bombas, o héroes, lo que en verdad prevalece es una cagalera general...

Alain hubiera deseado continuar hablando de aquel tema o de cualquier otro que le distrajera de una realidad que le horrorizaba, pero comprendió que resultaba absurdo, y bruscamente comentó:

—Yo ya he visto esto antes.

Sacha le miró y no dijo nada, comprendiendo, por la expresión del otro, la gravedad de su preocupación.

—Es cierto —añadió Alain—. He estado aquí; en esta isla, y este pueblo, y he bajado por esa carretera que gira a la derecha y conduce a la playa y la clínica.

—¿Es posible que te trajeran anestesiado para la operación?

—No. No es eso. Me consta que no llegaron a sacarme de París. Tengo la plena seguridad de que jamás he pisado esta isla, y sin embargo, sé que he estado antes aquí.

—Imaginaciones... —replicó Sacha, al que se le advertía molesto e inquieto por primera vez—. Podría decirte que quizás eso ocurrió en tu otra vida, pero no es verdad. En una posible vida anterior tuya, este pueblo aún no existía.

—¿Entonces...?

—Telepatía, fenómenos paranormales, obsesión... ¡No lo sé! —admitió—. Pero si con todos los problemas que tenemos, me sales ahora con eso, mejor nos volvemos a casa.

—¿Y qué debo hacer? —protestó Alain—. ¿Ocultarlo? ¿Negar la realidad...? Esto es mucho más complejo de lo que imaginé en un principio, Sacha. Me aterroriza y necesito compartirlo.

—Pero no es el momento, Alain, compréndelo —le hizo notar—. Estamos aquí, escondidos junto a un pueblo que empieza a despertar, y que no tenemos ni la menor idea de si va a recibirnos a tiros, a patadas, o a besos...

Asomó de nuevo la cabeza sobre la superficie del maizal:

—Ya están en pie...

Efectivamente, ventanas y puertas habían comenzado a abrirse, y había gente en las calles mientras tres ciclistas ganaban la primera curva de la carretera y se alejaban hacia la costa.

Un hombre con delantal blanco colocó mesas y sillas ante el bar de la plaza; un lechero pasó empujando su carrito con una bicicleta, y desde algún lugar que no alcanzaba a distinguir, les llegó el olor a pan caliente. Era aquél, en definitiva, un pueblo como cualquier otro, bastante más tranquilo y exótico, quizá, que cualquier otro, y se precisaba un gran esfuerzo de imaginación para abrigar el convencimiento de que podía ocultar algo misterioso.

Tomaron asiento de nuevo, desconcertados.

—¿Qué te parece?

Sacha se encogió de hombros.

—Que probablemente estemos haciendo el más espantoso de los ridículos —admitió—. Y tengo hambre.

Media hora después, el hambre arreciaba y el pueblo aparecía igualmente tranquilo y semivacío. Casi un centenar de ciclistas habían ido abandonando las casas para alejarse en dirección a la costa, y un diminuto ómnibus azul y blanco llevaba y traía al personal que no se sentía al parecer con ánimos de pedalear. Se detenía en la plaza, frente al bar, esperaba el tiempo que el conductor necesitaba para tomarse un café o una copa, y volvía a partir. Veinte minutos después, aparecía en la curva, de regreso, y en su último viaje trajo a dos mujeres y un hombre que, a simple vista, contrastaban con la gente del pueblo.

Ellas, con aspecto de nórdicas, vestían trajes de chillones colores y se cubrían con anchas pamelas de paja. Él, con pantalón corto y camisa floreada, utilizaba una gorra de marino y fumaba en pipa. Los tres portaban bolsas de las que suelen entregar en los hoteles para las excursiones y el hombre cargaba, además, con una caña de pescar y un pequeño cesto.

Saludaron al propietario del bar y emprendieron, sin prisas, la ascensión por el camino que conducía a la cumbre y que había de llevarles, por el acantilado, a la ensenada en la que fondeaba el *Lady Ann III*.

—Enfermos —señaló Sacha.

—Más parecen turistas —comentó Alain.

Resultaba imposible distinguir desde tan larga distancia si manchas blancas cubrían o no su piel, y aunque caminaban con la lentitud propia de las personas de edad, no había nada en ellas que delatara cualquier tipo de anormalidad.

—Bien —comentó Alain por último—. No hemos llegado hasta aquí para pasar el día escondidos. Está visto que este pueblo no da más de sí.

No existía más salida que la carretera, y aquella carretera ofrecía muchos lugares en los que ocultarse, por lo que optaron por aparentar naturalidad, y abandonaron el maizal sin que nadie reparara en ellos, alcanzando la curva y desapareciendo de la vista del pueblo.

Al otro lado de la colina se abría la costa este de la isla en suave descenso hasta las playas, constante sucesión de ríos de lava dura y brillante e islotes de tierra en los que crecía el cañaveral y la chumbera. Habían sido aprovechados como diminutos campos de cultivo junto a inmensas extensiones en las que la ceniza volcánica se había solidificado de forma caprichosamente irregular, constituyendo grumos de hasta dos metros de altura como un negro océano embravecido que de improviso se hubiera inmovilizado por orden divina.

Frente a ellos, junto al mar, se distinguía la silueta del gran edificio, y a la derecha, tierra adentro, nacía la cordillera de volcanes, el más alto de los cuales apenas superaría los mil metros.

Se cruzaron con grupos de ciclistas que ascendían lentamente la suave pendiente hacia el pueblo y que se limitaban a saludarles con un leve gesto de cabeza. Dos de ellos pedaleaban juntos, reían y charlaban en un idioma que no reconocieron, y su piel mostraba claramente manchas blancas que les proporcionaba un aspecto desagradable.

Cerca ya de la clínica se extendía un campo de golf en el que la hierba alternaba con fina grava volcánica, roja y negra, y venían después las pistas de tenis en las que jugaban varias parejas, un campo de tiro con arco, amplios jardines abundantes en palmeras y rosales y, por último, la inmensa piscina.

Ante la fachada principal se extendía un gran aparcamiento entoldado que protegía media docena de coches, dos o tres blancos jeeps descapotables y un infinito número de bicicletas a disposición del primero que llegase.

Todo aparecía tranquilo, con el aspecto de un

lujoso lugar de descanso en el que turistas de todas las edades disfrutaban del sol, se bañaban, charlaban o jugaban con la más absoluta naturalidad.

Camareros uniformados e impecables acudían de mesa en mesa o llevaban refrescos al borde de la piscina, y un par de enfermeras auxiliaban a dos ancianos mientras otra empujaba la silla de ruedas de una vieja impedida, y un bañista permanecía atento, estratégicamente sentado en lo alto de una escalera, vigilando tanto la piscina como la playa.

Tres figuras pescaban en la punta del espigón, varios patines a pedales se adentraban en el mar, y un inexperto balandrista pugnaba por enderezar su embarcación, que parecía padecer una extraña querencia por precipitarse hacia las rocas del promontorio que dominaba la bahía.

—Es el lugar más bello para pasar unas vacaciones que he visto en mucho tiempo —señaló Alain.

—Tengo la impresión de que éstos piensan lo mismo —admitió Sacha—. Y te habrás dado cuenta de que no existe un vigilante, un policía, ni siquiera un simple guardián con una pistola al cinto.

Nadie reparó tampoco en ellos, ni les dedicó siquiera una mirada, cuando abandonaron el jardín y se internaron en el área de la inmensa y caprichosa piscina. Eran dos turistas o enfermos más entre los enfermos y turistas que se bañaban o remoloneaban al sol, y tan sólo una atractiva rubia, un poco pasada ya que leía boca abajo con los pechos al aire, alzó los ojos y los observó como calibrando su posible rendimiento en una cama. No se diferenciaba en nada de las miles de cuarentonas nórdicas que cada año descendían a las costas mediterráneas en busca de aventuras amorosas que las compensaran del helado aburrimiento de sus largos inviernos.

Les siguió con la vista largo rato y había algo de invitación en su mirada, que se convirtió al fin en desencanto cuando comprendió que no iba a encontrar eco a su muda llamada, por lo que regresó a la lectura, y a su disfrutar de un sol que había ganado altura y calentaba con fuerza.

Continuaron despacio su camino fingiendo una falsa indiferencia a cuanto ocurría a su alrededor, aunque en realidad a su alrededor nada ocurría. Llegaron así a la playa y al borde de la pequeña bahía en la que descansaban patines y embarcaciones de recreo y un hombrecillo vestido de blanco hizo un gesto invitándoles a embarcar a bordo de un balandro. Ante su negativa regresó a su caseta y su cigarrillo, enfrascándose nuevamente en la lectura de una novelucha.

Alain se detuvo al borde del agua, se volvió despacio, y contempló por encima del hombro de Sacha el edificio.

—Ya no nos queda más que meternos en la boca del lobo —dijo como si estuviera hablando de literatura o del tiempo—. ¿Qué hacemos?

—¿Ves alguna entrada que no parezca vigilada?

Agitó la cabeza como si estuviera tratando de tomarle el pelo.

—Ninguna parece vigilada —replicó malhumorado—. ¡Es ridículo!

Sacha se volvió a su vez y observó la hermosa fachada con sus grandes macizos de flores al borde de las amplias terrazas en las que podían distinguirse hombres y mujeres tomando el sol desnudos. Lanzó un suspiro de resignación, se encogió de hombros y aceptó.

—Tienes razón. Es ridículo. ¡Vamos dentro!

Eligieron la ancha escalera que ascendía a un amplio bar en el que dos ancianas tomaban té en silencio, y pasando a su lado, penetraron en el amplio *hall* del edificio.

Se detuvieron asombrados. La gran pirámide formaba en su interior un enorme triángulo abierto al cielo, flanqueado por pasillos que daban a las habitaciones, pero que dejaban en su centro una extensión de casi cien metros de largo por cincuenta de ancho cubierta de flores, plantas, palmeras, riachuelos, cascadas y lagunas.

El ambiente era sereno, fresco y plácido, con un silencio roto tan sólo por el rumor del agua de las fuentes y el gorjeo de los pájaros que revoloteaban de un lado a otro. En los ángulos del jardín se distinguían pequeños cenadores de paja trenzada y sillones de mimbre, y aquí y allá junto al agua se alzaban diminutos bancos de hierro en los que media docena de personas leían o charlaban en voz baja.

Un camarero que se deslizaba como una sombra acudió desde el bar y sirvió una bebida a la muchacha que leía bajo uno de los cenadores. Aceptó con un gesto de la cabeza su sonrisa de agradecimiento, y se retiró como había llegado. Al cruzar frente a Sacha y Alain, les saludó con una leve inclinación, y regresó a su puesto tras la barra que se alzaba al fondo de los jardines.

Cuando logró salir de su asombro, Sacha musitó como si temiera romper con su voz el encanto del lugar.

—Reconozco que he metido la pata... Vámonos de aquí.

Se dispuso a volver sobre sus pasos, pero le detuvo la expresión de Alain, que aparecía como anonadado, con la vista fija en la muchacha que leía bajo el cenador. Siguió la dirección de su mirada. No distinguió más que lo que había: una bellísima mujer que se llevaba en ese momento el vaso de refresco a los labios.

—¿Qué ocurre? —inquirió.

Sin dejar de mirarla, como hipnotizado, Alain murmuró muy quedamente:

—Shireem.

Sacha se volvió de nuevo a él.

—¿Cómo dices?

—Shireem —repitió—. Shireem Von-Willprett.

El periodista examinó con más detenimiento a la muchacha, dudó un instante y al fin exclamó, esforzándose por acallar su propia voz:

—¿Estás loco? Shireem Von-Willprett le dobla la edad y está gorda y vieja.

—Cenamos juntos el mes pasado y tienes razón. Pero es Shireem.

Como si advirtiera que hablaba de ella, la muchacha alzó el rostro y los miró. Alain advirtió que el corazón le daba un vuelco pues conocía aquellos ojos y aquella forma de mirar. Conocía perfectamente cada detalle de aquel rostro, porque lo había llevado clavado en lo más profundo de su retina casi desde que tenía uso de razón.

Ella sonrió levemente, ni incitante ni tan siquiera amable. Simplemente sonrió, como si se tratara de algo natural en ella y que hiciera a menudo, pero su sonrisa tuvo la virtud de atraer a Alain que se dirigió decidido hacia ella antes de que Sacha tuviera tiempo de detenerle.

—¿Qué vas a hacer? —murmuró el periodista—. ¿A dónde vas? —Pero Alain no le escuchó, avanzó por el senderillo de grava, cruzó un diminuto puente sobre un riachuelo más diminuto aún, y se detuvo ante la hermosa desconocida que le había visto llegar un tanto sorprendida.

—¿Shireem? —fue todo lo que se atrevió a preguntar.

En los inmensos ojos infantiles, asustados y tremendamente expresivos, apareció una leve señal de interrogación.

—Soy Alain —añadió—. Tu primo. ¿No me reconoces?

Ella sonrió más ampliamente aún, mostrando sus dientes y negó con aire divertido.

—No tengo ningún primo —aseguró convencida.

Su voz era la misma; como era el mismo su modo de hablar, y eran también idénticos sus gestos aunque tenía un ligero acento que Alain no supo reconocer.

—¿No se llama usted Shireem Duray? —insistió.

—Me llamo Laura Andrade.

—¿Dónde nació?

—En Latacunga; Ecuador. ¿Lo conoce?

—¿Ecuador? No. No lo conozco.

Tomó asiento frente a ella, que no pareció molestarse porque se hubiera arrogado semejante derecho.

—¿Ha estado alguna vez en Francia? —quiso saber.

—Nunca. —Sonrió de nuevo como disculpándose—. Es la primera vez que salgo de casa.

—¿Cuántos años tiene?

—Diecinueve...

—Diecinueve... —repitió Alain como para sí, tratando de hacer memoria y recordar dónde podría encontrarse Shireem diecinueve años atrás—. ¿Está segura?

La muchacha pareció dudar entre echarse a reír o molestarse. Se encontraba levemente desconcertada, confusa, y tal vez un tanto preocupada por la extraña actitud del individuo, pero pareció tomarlo a broma.

—No puedo estar muy segura —rió—. Creo que el día que nací no me hallaba presente.

Ahora fue Alain el que se desconcertó y tardó en comprender su sentido del humor.

—Discúlpeme —pidió—. Pero se parece usted mucho a una persona que conozco. ¿Desde cuándo vive aquí?

—Desde hace seis meses.

—¿Cuánto se quedará?

Ella se encogió de hombros.

—Depende de los médicos. —Señaló con naturaralidad y mostró su antebrazo en el que se distinguían una serie de manchas blancas que contrastaban con el color muy tostado de su piel—. ¿Ve? —Dijo—. Ya están desapareciendo. El tratamiento ha surtido efecto...

Alain fue a abrir la boca para añadir algo, pero en ese instante un altavoz suave y melodioso que permanecía escondido en algún rincón del jardín, llamó con insistencia:

—¡Señorita Andrade...! Señorita Laura Andrade...

Laura se puso en pie, cerró el libro, bebió por última vez y apuntó un gesto de despedida con la mano.

—Es mi turno —le hizo notar, y se alejó entre las flores y las fuentes, hacia un ascensor que se abría al fondo del *hall* de entrada. Alain se puso en pie dispuesto a seguirla, pero advirtió que Sacha le retenía por el brazo.

—¡Estáte quieto! —pidió—. Ya has hecho suficientes locuras. Salgamos de aquí...

Trató de desasirse y señaló con un gesto de desesperación hacia la muchacha:

—Pero es ella —protestó—. ¡Es Shireem!

—¡Escúchame! —insistió una vez más cansado de repetirlo sin que Sacha quisiera creerle—. ¡Yo sé que es ella! No me he vuelto loco ni puedo explicarlo, pero es Shireem... El rostro, la voz, el cabello, los gestos... Puedo decirlo porque la he amado toda una vida.

—Han pasado más de veinte años, Alain. ¿Es que no te das cuenta? Has ido creando una imagen distorsionada de ella y ahora, al encontrar a alguien que se le parece, te obsesionas. ¿Cómo se puede recordar a quien no se ha visto más que una vez en tanto tiempo? Mi madre murió siendo yo muchacho, y te juro que no sería capaz de reconocer su voz.

Nunca, en toda su vida, se había sentido Alain tan desconcertado y nervioso, presa de una excitación anormal que hacía que incluso sus manos temblaran imperceptiblemente mientras Sacha, sentado en una negra roca de lava, se esforzaba por que mantuviera la calma.

—Han ocurrido tantas cosas, Sacha, y tan extrañas, que ni siquiera tú puedes comprenderlas. ¿Por qué te niegas, entonces, a aceptar que es Shireem? Es ella. ¡Te lo juro!

El periodista trató de negar una vez más; sus

ojos recorrieron despacio la silueta del edificio que se alzaba ante él, a unos quinientos metros de distancia, y permaneció absorto unos instantes. Por último, cuando se volvió de nuevo a Alain, parecía extrañamente sereno.

—No quiero creerte —señaló—. Si aceptara que esa muchacha es Shireem, tendría que aceptar algo tan terrorífico, que la sola idea me espanta.

—¿Y es?

—Que de algún modo esta chica puede estar relacionada con una juventud futura de la auténtica Shireem.

Alain tardó en comprender a qué se estaba refiriendo y cuando creyó saberlo, sintió que sus piernas flaqueaban.

—¿Quieres decir que quizás ésa es la fórmula? ¿Lo que veníamos buscando?

El periodista agitó la cabeza como si pretendiera convencerse a sí mismo y alejar sus pensamientos.

—No lo sé, Alain —admitió—. Es una idea tan loca y es todo tan confuso... Te repito que no quiero pensar en ello.

Alain extendió la mano y la posó suplicante en su pierna:

—Tienes que pensar en ello, Sacha —rogó—. Tienes que hacerlo porque yo no puedo... ¡Ayúdame, por favor...!

—¿A qué? —protestó el otro—. Si existiera una remota posibilidad de que fuera cierto lo que imagino, estaríamos abriendo una ventana al abismo; estaríamos penetrando en el futuro de la Humanidad.

—No te comprendo.

—Tú dices que es Shireem, ¿no es cierto...? —Ante la muda afirmación añadió—: Tal vez no sea Shireem; tal vez sea únicamente un calco; una repetición de Shireem.

—¿Una repetición?

—Una hermana gemela creada artificialmente. Un «cloning» de Shireem veinte años más joven.

—¡Dios! —exclamó en lo que era casi un sollozo—. No es posible. —Contempló la cicatriz de su dedo y se la mostró a Sacha—: ¿Es ésa la explicación? —quiso saber—. ¿Soy yo también un «cloning» de mí mismo; una repetición veinte años más joven?

Sacha Cotrell le miró fijamente, estudió su rostro, la ansiedad que había en él, el miedo y la angustia que transpiraba por todo su cuerpo y negó:

—No. —Se le advertía convencido—. Te conozco hace años. Un «cloning» puede ser la repetición física de un ser, pero tú eres Alain, con tu memoria, tu carácter, tus experiencias, y tu pasado. Nadie, ningún científico, ningún ingeniero genético puede repetir eso...

—¿Entonces?

—No lo sé.

Se diría que Sacha se sentía ahora más tranquilo al haber rechazado la peregrina idea que le asaltara en un momento de enajenación y golpeó con afecto la mano de Alain.

—No lo sé —repitió—. Por un momento tuve una visión apocalíptica del futuro, pero tú eres la prueba viviente de que no es posible.

—Explícame esa visión —rogó Alain.

—Prefiero no hacerlo —replicó—. Estás demasiado impresionado para que yo aumente tus temores. Volvamos a lo que importa: ¿qué hacemos?

—Quiero verla de nuevo.

—¿Para qué? No es Shireem.

Alain había hecho un esfuerzo por serenarse y lo estaba logrando. Se daba cuenta de que había pasado por unos momentos de histeria, a punto de dejarse arrastrar por una fuerza desconocida, pero ahora, minuto a minuto, iba recuperando el dominio de sí mismo.

—No sé si es Shireem o no —dijo—, pero no me importa. La he amado durante toda mi vida y ahora que la he encontrado de nuevo no pienso volver a perderla. Sé que es irreal —aclaró—. Un sueño maravilloso, el reencontrar, aún joven y hermosa, a la mujer que amé de muchacho, pero últimamente me han ocurrido tantas cosas absurdas, que estoy dispuesto a aceptar una más. Sobre todo, si se trata de Shireem. Me la llevaré de aquí.

—¿Llevártela? —se asombró Sacha—. ¿Cómo vas a llevártela?

—Aún no lo he pensado —admitió Alain—. Pero tengo que sacarla de esta isla. Creo que corre peligro.

Sacha quiso protestar, pero en su fuero interno compartía aquella sensación. Se esforzaba por rechazar la idea del «cloning» y cuanto de terrorífico podía traer aparejado, pero conocía bien a Alain y sabía que si éste aseguraba que aquella muchacha era Shireem, algo podía haber de cierto.

Su mente, aguda, incisiva y, según los que le conocían, con la capacidad de un cerebro electrónico para asociar conceptos y recordar datos en apariencia olvidados, se esforzaba por rebuscar, entre la maraña de sus anárquicos conocimientos, cuanto había leído o sabía sobre la reproducción clónica y sus infinitas posibilidades.

La ingeniería genética constituía una ciencia nueva, por la que pocos «no especializados» se preocupaban aún, y por la que él mismo no había mostrado una especial afición hasta el momento en que empezó a interesarse por las investigaciones del doctor Ericsson.

La reproducción clónica no parecía constituir hasta el momento más que una rama secundaria de la Biología, que rozaba casi los límites de la ciencia-ficción, pero, basándose en ella, algunos científicos habían conseguido la reproducción asexuada de muchos animales.

Hacía ya noventa años que el francés Loebe había logrado que un erizo de mar se reprodujese sin necesidad de ser fertilizado, y en la actualidad, a través de la cirugía microscópica, los científicos estaban en condiciones de sustituir el núcleo de una célula sexual por el de otra del mismo individuo, logrando que la célula resultante comenzara a dividirse dando lugar a un ser idéntico al donante.

Cada célula de un animal o de una planta, fuera cual fuere su función, contenía en sí un complemento del total de sus cromosomas originales. Esas células se habían especializado en una función determinada, pero, en esencia, mantenía latentes en su interior el total de las restantes funciones. Únicamente las células sexuales poseían tan sólo la mitad de cromosomas de un determinado ser vivo, que al unirse con la célula sexual complementaria, hacían nacer a un nuevo individuo de la misma especie.

En los seres humanos, por lo tanto, cada célula no sexual del cuerpo, del cabello al hígado, o de la piel a la sangre, contenía en su núcleo cuarenta y seis cromosomas. Si por medio de una delicadísima operación de cirugía microscópica, se destruía el núcleo de una célula sexual con sus veintitrés cromosomas únicos, y se sustituía por el núcleo de cualquier otra célula, se obtenía una «célula-huevo» con cuarenta y seis cromosomas definitivos; es decir, aparentemente fecundada. Dicha «célula-huevo» podía entonces comenzar a dividirse hasta constituir un duplicado exacto del «dador».

Para Sacha Cotrell aquélla constituía la única explicación factible al hecho de que existiera un ser tan idéntico a Shireem Von-Willprett como Alain aseguraba que era aquella muchacha. Ni siquiera una hija o una hermana menor podía llegar a parecerse tanto, pero, sin embargo, le costaba trabajo admitirlo, y se negaba a profundizar en la posibilidad de que el ser humano hubiera llegado a estar en capacidad de reproducir clónicamente a otro ser humano.

En 1939, el doctor Gregory Pincus, había logrado reproducir un conejo por medio de la partenogénesis, y las investigaciones de Briggs y King, en 1952, permitieron a J. B. Gordon crear años más tarde una auténtica rana clónica, destruyendo por medio de rayos ultravioleta el núcleo de una célula sexual y sustituyéndola por el núcleo de una célula de la pared intestinal.

De ahí a la reproducción clónica de todo tipo de animales no había más que un paso, pero el paso que llevara a la reproducción clónica de un ser humano tenía que constituir un salto que traspasase todas las barreras de la moral existente. Y Sacha Cotrell se negaba a aceptar que, veinte años antes, en la época en que nació Laura Andrade, alguien se hubiera atrevido a dar ya semejante salto.

—No es posible —musitó al fin como para sí mismo—. No es posible, y no obstante, tal vez tengas razón y debamos ponerla a salvo hasta averiguar lo que ocurre exactamente.

—Luego admites que algo ocurre...

—No lo sé, Alain. No lo sé —repitió disgustado porque era la primera vez que no entendía algo y se sentía incapaz de dominar una situación—. Hace un rato hubiera jurado que este lugar era el más inocente del planeta, pero ahora me asaltan de nuevo los temores. —Hizo una pausa—. Esa obsesión tuya y esa semejanza inexplicable... ¡Si no te viera tan convencido...!

—Estoy convencido —repitió Alain con tranquilidad, pasado ya el momento de la primera impresión—. Lo estoy, y presiento que en esa muchacha se encuentra la respuesta a cuanto me obsesiona. Quizás estemos, en efecto, intentando abrir una puerta que nos conducirá a la sala de los horrores, pero he llegado demasiado lejos como para no comprender que pronto tendré que enfrentarme a la verdad. —Hizo una pausa y bajó un tanto la voz porque un hombre se aproximaba por la playa con una caña de pescar al hombro—. Y de lo que estoy seguro, y lo confieso, es de que esa verdad me aterra.

—¡Buenos días! —saludó el desconocido.

—Buenos días —replicaron apartándose a un lado, para dejarle pasar, pero el recién llegado no parecía dispuesto a continuar su camino, porque se detuvo ante Alain y le sonrió con naturalidad.

—¿Cuándo ha vuelto?

Fue como si le hubieran descargado un inesperado puñetazo en el rostro, que estuvo a punto de hacerle tambalear. Tardó en reaccionar, buscó ayuda en Sacha y, al fin, balbuceante e inseguro, replicó:

—Ayer.

—Me alegro. Es usted el único que juega decentemente al ajedrez en esta isla... —Le observó con atención—. Le noto envejecido... ¡Cuídese...! —reanudó su marcha, pero aún se detuvo cuando no había dado más allá de media docena de pasos—: Le espero esta tarde a la hora de siempre. No me falte.

Le observaron en silencio hasta que se perdió entre las rocas y Sacha hizo un gesto significativo como para evitarle explicaciones.

—No hace falta que me lo digas —le atajó—. No le has visto nunca...

—¿Crees que olvidaría esa cara...?

—Y dudo que hayas sido alguna vez el mejor jugador de ajedrez de la isla —insistió.

—Nunca he sabido más que mover las fichas.

—¿Puedo sentarme?

Alzó el rostro del plato, miró luego a su alrededor comprobando que quedaban otras mesas vacías en el gran comedor al aire libre, al borde de la piscina, y pareció por un momento a punto de negarse, pero al fin se encogió de hombros:

—Estaría feo que se lo prohibiera a un pariente, ¿no le parece? —admitió sonriendo mientras indicaba la silla—. ¿Insiste en el viejo truco de que me parezco a su prima?

—Como dos gotas de agua. ¿Nunca se lo han dicho? Shireem Von-Willprett es una de las mujeres más ricas y famosas del mundo. —Se inclinó luego hacia delante—. Y una de las más bellas.

—Pues yo no soy rica ni famosa —rió ella—. Y hace un par de meses, con toda la piel cubierta de manchas blancas, parecía un auténtico monstruo...

—¿Qué le ha dicho el médico?

—Que pronto podré irme. —Pareció recordar algo—. Por cierto, voy a conocer Francia... Los últimos análisis me los harán en París.

Alain advirtió que el corazón le daba un vuelco y una oleada inexplicable de terror le recorría la espalda.

—¡París! —exclamó—. ¿Le acompañará algún médico de aquí?

—El doctor Ericsson... ¿Le conoce?

—Sí, le conozco... —La observó largamente y comprendió que, a pesar de los años transcurridos, seguía amándola con la misma intensidad con que la amó aquel verano, en casa de la abuela Jeanette—. ¿Saben sus padres que va a París?

—Les escribiré esta noche.

—Hábleme de ellos...

Pareció sorprendida, pero acabó encogiéndose de hombros:

—No hay mucho que decir... Tienen una hacienda al pie del Chimborazo y allí pasamos la mayor parte del tiempo.

—¿A quién se parece? ¿A su padre o a su madre?

—A ninguno —sonrió—. Por lo visto sólo me parezco a su prima.

—¿Tampoco a sus hermanos?

—No tengo hermanos. En realidad nací cuando mis padres empezaban a perder toda esperanza de tener hijos. —Le miró con curiosidad—. ¿Por qué le interesa tanto mi familia?

—Busco alguna relación entre usted y Shireem. El parecido resulta tan extraordinario, que no logro aceptar que puede deberse a la casualidad.

—Empieza a intrigarme la tal Shireem —admitió la muchacha echándose hacia atrás para permitir que el camarero le cambiara el plato—. ¿Qué edad tiene?

—Cuarenta años, más o menos. Pero usted no se parece a la Shireem de ahora, sino a la de hace veinte años. Nos criamos juntos, y estaba locamente enamorado de ella.

—¿Me quiere hacer creer que usted tiene más de cuarenta años? —preguntó como si estuviera tratando de burlarse de ella, y ante la muda afirmación, agitó la cabeza negativamente—. Nunca lo hubiera imaginado... ¿Cómo hace para conservarse así?

—Es lo que pretendo averiguar... Por eso estoy aquí.

—No le comprendo.

—Es largo de explicar. Dígame: ¿Cuándo experimentó los primeros síntomas de su enfermedad?

—¿De la psoriasis? Hace un año... comenzaron a salirme manchas en la piel y me la diagnosticaron en seguida.

—¿Y quién la trajo a esta clínica?

—Yo.

Alzó el rostro. De pie a su lado, se encontraba el doctor Ericsson. Aparecía sombrío pero tranquilo y apoyó su mano en el hombro de Laura como en un intento de protegerla; añadió:

—Yo la traje —dijo—. Y soy el único que puede darle las respuestas que busca. Venga a mi despacho.

Alain se puso en pie, se despidió de ella con un mudo gesto de la cabeza y siguió a Ericsson al interior del edificio. Nadie pareció prestarle una especial atención, excepto Sacha Cotrell, que desde el otro lado de la terraza, les dirigió una larga mirada e inclinó luego aún más la cabeza sobre su plato.

Uno en pos del otro, cruzaron el hermoso jardín interior, penetraron en el ascensor, y en silencio subieron hasta la quinta planta, donde, a través de un largo corredor alcanzaron un inmenso despacho cuyas terrazas se abrían sobre el mar y la playa.

Ericsson señaló una butaca al otro lado de la gran mesa de caoba y encendió un cigarrillo mientras lo estudiaba con detenimiento.

—Tiene un aspecto magnífico, Alain —admitió al fin—. No cabe duda de que hicieron con usted un buen trabajo.

—Demasiado bueno —replicó Alain—. Pero eso no es lo que importa ahora. ¿Quién es esa chica?

—Se llama Laura Andrade, y nació en Ecuador.

—Sí. Eso ya lo sé —replicó impaciente—. ¿Pero quién es en realidad?

El doctor Ericsson le miró al fondo de los ojos. Se le advertía triste, cansado o dolorido. Se encogió de hombros con un gesto fatalista y al fin dijo

—¿Realmente quiere saberlo? Dudo que esté en condiciones de asimilar la verdad que busca.

—Nada puede ser peor de lo que imagino. —La voz de Alain ganó en firmeza y decisión—. ¿Quién es Laura Andrade, doctor?

—La reproducción clónica de Shireem Von-Willprett.

Se hizo un largo silencio. Alain conocía ya la respuesta, pero le costaba trabajo asimilarla. Todo daba vueltas a su alrededor y se sentía enfermo, pero trató de contenerse y se aferró al brazo del sillón.

—¿Quiere eso decir que yo también soy un doble clónico? —inquirió al fin.

—En parte, sí.

Alain se cubrió la cara con las manos:

—¡Dios! ¡Dios! —exclamó casi ahogándose con las palabras—. ¿Cómo has permitido que esto ocurra?

—Dios no existe. —Ericsson se mantenía frío y tranquilo aunque le costaba un gran esfuerzo conseguirlo—. Dios no existe, y usted lo sabe.

Le miró a través de las lágrimas que pugnaban por escapar y asintió convencido:

—No debe existir. Si existiera, nunca hubiera consentido que se llegara a esto.

—¿De qué se sorprende? —inquirió Ericsson—. Siempre afirmó que estaría dispuesto a aceptar un trasplante del corazón de otra persona, y si no llegó a someterse a la operación, fue porque temió el rechazo y morir como la mayoría de los que han aceptado esa clase de operación. Pero el trasplante que se le ha hecho no lo rechazará nunca, porque es usted mismo, sus propias células; su calco exacto.

—¿Pero qué fue en realidad lo que me trasplantaron?

—Todo. Del cuello para abajo, todo —fue la sincera respuesta—. Únicamente la cabeza es suya y la cabeza, Alain, es lo que cuenta. En ella está el cerebro y el cerebro es el hombre.

—Pero es absurdo —protestó Alain desorientado—. Es imposible. Barnard se negó a tomar parte en un trasplante de cabeza convencido de que era ilegal e irrealizable.

—Barnard quedó atrás hace tiempo, Alain —le hizo notar Ericsson—. Existe quien puede realizar ese trasplante, y ya ve que lo ha conseguido: usted, Távora, Hunter, Goetz y todos los demás, constituyen la mejor prueba.

Alain guardó silencio, pues le resultaba difícil asimilar cuanto acababa de caer sobre él como un mazazo, anonadándole e impidiéndole pensar. Hubiera deseado desmayarse, morir, hundirse en la nada, desaparecer tragado por la tierra, con tal de no aceptar una verdad que le abrasaba, llegando a constituirse en dolor físico. Quiso decir algo, pero en lugar de palabras le subió una arcada a la garganta y vomitó incontiniblemente sobre la alfombra y parte del sofá. Permaneció luego muy quieto con la nuca apoyada en el respaldo de la butaca y sin mirar al otro preguntó:

—¿Qué fue de él?

—Murió.

—«El cerebro es el hombre», ¿no es eso? Pero su cerebro sin cuerpo no conseguiría vivir. —Le miró acusador—. ¿Enterraron su cabeza con mi cuerpo?

Ericsson asintió en silencio y luego con un leve cambio en su voz, que fue menos fría y calmada añadió:

—Hay algo que debe tener presente, Alain...: No era un ser humano.

—¿Qué quiere decir?

—Que a un «cloning» no se le puede considerar un ser humano. Es tan sólo la reproducción de un ser humano.

—¡Oh, vamos! —estalló Alain indignado—. ¿Pretende hacer creer que esa muchacha que está ahí abajo, tampoco es un ser humano?

—Tampoco —aseguró Ericsson convencido—. Un ser humano es un individuo de características propias, nacido de hombre y mujer. Laura es el resultado de una operación de laboratorio: Una especie de prótesis viviente que se podría reproducir por millones sin que se diferenciaran una de otra en un solo cabello. ¿Consideraría seres humanos a millones de Lauras que se alineasen como soldaditos de plomo, idénticos entre sí?

No supo qué responder; por su mente cruzó la imagen enloquecedora de columnas de individuos, repetidos hasta el infinito, y se le antojó una pesadilla; una pesadilla casi tan espantosa como la que estaba viviendo con respecto a su propia identidad.

—No puede ser cierto —murmuró al fin—. No puede ser cierto que hayamos llegado a este punto.

—Todo comenzó hace veintitrés años. —La voz del doctor Ericsson carecía ahora de inflexiones, limitándose como estaba, a una descripción de los hechos como él los conocía, con el tono neutro del profesional que no quiere comprometerse—. Un grupo de científicos profundizaba desde años atrás en el campo de la biología, y durante un congreso, en Sydney, tomaron conciencia del peligro que representaba el que militares, políticos, o simples empresarios, tuvieran acceso al futuro que se abría a la ciencia biológica. Con lo que ya sabían, y lo que sabrían en los próximos años, podrían convertirse en dueños del destino de la Humanidad y no deseaban que ese destino pasara a manos extrañas.

—Decidieron ser ellos mismos los dueños de ese destino, ¿no es cierto?

Ericsson le miró molesto por la interrupción o levemente ofendido, quizá, por la insinuación.

—No. Simplemente comprendieron que los Gobiernos o los laboratorios y clínicas para los que trabajaban, acabarían por obligarles a ir cada vez más lejos por caminos peligrosos. A la guerra nuclear y los intentos de guerra bacteriológica seguiría ahora la guerra genética, y lo quisieran o no, se verían indefectiblemente abocados a hacer aquello que no deseaban.

—Podían haberse limitado a cesar en sus investigaciones —apuntó Alain.

—Para un científico, «Todo lo que puede hacerse, debe hacerse». —Hizo una pausa en la que sonrió con profunda amargura—. Y la investigación, Alain, y sobre todo la investigación sobre el origen y el fin de la vida, es algo tan apasionante, que cuando se comienza, no se puede abandonar.

Encendió un cigarrillo, el octavo quizá desde que empezaron la conversación, se puso en pie, paseó despacio por la estancia y se aproximó al ventanal desde el que habló de nuevo sin mirarle:

—Sabían que estaban en el camino de lograr la inmortalidad, y no deseaban que nadie les desviara de él, o les dijera cómo debían recorrerlo.

—¿La inmortalidad? —se sorprendió Alain.

Ahora Ericsson sí se volvió a mirarle.

—La «casi-inmortalidad» —admitió—. Se ha comprobado que el cerebro humano bien irrigado por un cuerpo joven, puede alcanzar los ochocientos o mil años de vida sin deteriorarse —añadió seguro de sí mismo—. Si uno de ustedes sufriera un nuevo trasplante cada veinte años aproximadamente, su cerebro se mantendría joven y fuerte. —Hizo un gesto vago con la mano—. Y dentro de mil años, alguien habrá encontrado la manera de prolongar aún más la vida del cerebro... —Tomó asiento ahora cerca de él evitando con cuidado la zona en que había vomitado—. De hecho, su nuevo «cloning», aquel que habrá de sustituir a su cuerpo cuando éste empiece a deteriorarse, está a punto de nacer.

—¿Cómo?

—¿Recuerda a Catherine Nedjar, la enfermera? Estaba preparada para recibir su semen; una de sus células sexuales. La otra la obtuvieron de su piel. Las unieron y cuando comenzaron a desarrollarse las injertaron en una mujer que tan sólo servirá de «portadora».

—¿Eso quiere decir que van a obtener un «cloning» de mi «cloning»...?

—Exactamente. Pero no importa; la reproducción es igualmente perfecta y no existirá tampoco posibilidad alguna de rechazo.

—¿Y a ese nuevo «cloning» pensaba trasplantar otra vez mi cabeza?

Ericsson asintió en silencio, Alain lo contemplaba absolutamente incrédulo.

—¿Pero y la cabeza en sí? ¿La cara, los ojos, el cabello? Irán envejeciendo.

—Muy lentamente. Con nueva irrigación, un corazón potente y unas arterias jóvenes, las células apenas se deterioran. Incluso confían en llegar a un punto en que lo único que tengan que trasplantar sea el cerebro. —Aplastó el cigarrillo en el cenicero—. Como digo, están rozando con la punta de los dedos la inmortalidad.

—¿Y quién tiene derecho a decidir quién será y quién no será inmortal?

—Ellos no, desde luego —aceptó Ericsson—. Pero los militares, los Gobiernos, o los financieros, menos aún. Por eso no quisieron poner en sus manos semejante poder, y si admitían ser respaldados, acabarían por tener que aceptar su criterio. Decidieron establecerse aquí y trabajar en secreto, constituyéndose en los únicos dueños y los únicos responsables de su descubrimiento.

—¿Y quién ha pagado todo eso?

—Ustedes. La única fuente de financiamiento factible la constituían los ricos que un día estuvieran dispuestos a ofrecer una fortuna por mantener su juventud y su vida. —Rió levemente sin mucha convicción—. No debe hacerse ilusiones: No pertenece a esa «élite» por sus cualidades intelectuales o morales. Eso vendrá más tarde. Hace veinte años, tuvieron que limitarse a confeccionar una lista de «posibles clientes»: jóvenes de entre quince y veinticinco años, herederos de sólidas fortunas que llevaran camino de saber conservarlas.

—¿Encontraron muchos?

—Unos trescientos —fue la tranquila respuesta—. De ellos, un poco más de la mitad llegaron en su día a disponer de una «reproducción adulta», «utilizable». Han realizado hasta el momento treinta y ocho operaciones con éxito, y han sufrido dos fracasos. Siete de los donantes murieron de accidente o enfermedad antes de que sus «clonings» alcanzaran la mayoría de edad.

—¿Qué han hecho con ellos? ¿Con los «clonings» de los que murieron?

—Viven en paz lejos de sus países de origen.

—¿Casi como seres humanos? —inquirió Alain con intención.

—«Casi»... —admitió Ericsson—. Aunque dudo que alcancen un desarrollo normal. En muchos casos, el «ente-clónico» sufre una marcada dependencia mental de su dador. El cerebro del «hermano mayor» domina de algún modo, telepáticamente, al de su «hermano menor», más débil o voluntariamente sometido. —Agitó la cabeza con pesar—. Aún no se ha llegado al fondo de esta cuestión, que nos preocupa profundamente, pero sabemos que cuando el «hermano mayor» muere, la mente del menor puede quedar como en blanco o recibir señales, conocimientos y recuerdos que pertenecían al otro. En realidad no lo está recibiendo del muerto; ya los había recibido cuando éste vivía, pero al sentirse menos dominado, su cerebro toma más conciencia de esos «recuerdos». —Se puso en pie nuevamente, y nuevamente contempló el mar a través del balcón—. Tememos que algunos acaben volviéndose locos, porque experimentan la sensación de ser dos personas y no podemos revelarles la verdad, porque el saberse «clones» acabarían con ellos.

—A mí me ocurre... —confesó Alain con un esfuerzo—. A veces tengo la impresión de que otra persona vive dentro de mí.

Ericsson se volvió a mirarle y sonrió en su intento de tranquilizarle.

—Su caso no es peligroso —aseguró—. Ustedes pueden recordar también cosas que nunca conocieron. Responden a captaciones telepáticas que un día recibieron de sus «hermanos menores», probablemente mientras dormían. Ahora van surgiendo porque su cerebro se encuentra superirrigado o supersensibilizado, pero no tiene por qué preocuparse; irán desapareciendo paulatinamente.

—¿Está seguro?

—Casi seguro... —puntualizó el sueco—. Tenga en cuenta que avanzamos por caminos totalmente vírgenes.

—Pero se han atrevido a recorrerlo sin meditar en las vidas que destruyen, el daño que causan, o los locos que fabrican. ¿Quiénes se imaginan que son? ¿Dioses...? Creen de verdad que tienen derecho a jugar así con la vida, los seres, el futuro y la creación?

—No. No lo creen —replicó Ericsson con sinceridad—. Nunca lo han creído y precisamente su miedo es llegar a considerarse omnipotentes: «Dioses», como usted bien dice. Diariamente tienen que someterse a una cura de humildad, pero cada día, también, constatamos que otros científicos acabarán alcanzando los mismos objetivos por rutas semejantes. Es algo que está ahí, al alcance de cualquier mente analítica que disponga de los medios. Negarlo es obcecarse. Lo que importa es que éstos, que al menos tienen buena voluntad y no persiguen fines dudosos, vayan siempre por delante y puedan, de algún modo, neutralizar a quienes les siguen.

—Eso pretendían los que comenzaron a investigar sobre la energía atómica.

—Si la investigación atómica no hubiera pasado de manos de científicos, a manos de políticos y militares, ahora las centrales nucleares proliferarían, serían seguras, y nadie tendría razón para temerlas tanto, porque nunca hubiera existido una bomba atómica. Por eso se esconden aquí en esta isla, tratando de evitar un Hiroshima biológico.

—¿Y si no lo consiguen?

—Si no lo consiguen, puede jurar que el mundo se convertirá en un infierno.

—¿Qué le hace suponer que lo que están haciendo con Hunter, Távora y los demás no conducirá al mismo infierno? ¿No se han dado cuenta del poder que depositan en nuestras manos? Al hacernos eternos, siempre jóvenes y con capacidad de amasar más dinero y conocimientos, crean una superraza que dominará, esclavizará, y acabará con la civilización tal como ahora la venimos concibiendo.

Una vez más, Ericsson encendió parsimonioso un cigarrillo.

—Parece olvidar que únicamente ellos están en capacidad de dar o no dar más vida —dijo—. Aquel que pretenda abusar de lo que se le concede, o utilizarlo en contra de sus convencimientos y su moral, no será operado nuevamente y morirá en su día.

—¿Qué es eso sino una forma de creerse dioses? ¡«Su moral»! —exclamó Alain con un deje de ironía en la voz—. ¿Por qué su moral y no mi moral o la de cualquier otro? Están juzgando lo que es bueno o malo y quién debe vivir o morir. ¿Qué distancia separa ese punto de aquel en que se conviertan en tiranos del mundo?

—Muy poca, si quisieran recorrerla, desde luego —tuvo que admitir Ericsson a su pesar—. Pero reconocerá que se les ha de conceder el derecho a decidir quiénes deben hacer uso de una fuerza que emana únicamente de ellos. —Hizo una larga pausa meditando muy bien lo que iba a decir—. No le van a pedir nunca que haga esto o lo de más allá, Alain. Ni que utilice sus periódicos en favor o en contra de una u otra idea. Usted es libre de actuar a su entero albedrío, pero ellos serán libres, también, de no prolongarle la vida si no es ése su deseo.

Alain hubiera querido continuar discutiendo, pero no lo hizo. Lo aceptara o lo negara Ericsson, aquellos científicos acabarían convirtiéndose en rectores del orden universal. Frente al dilema que planteaba el hecho de que una sucesión de trasplantes clónicos fuera posible y se llegara a una forma de vida casi eterna, cabían, básicamente, dos actitudes: admitirlo con todas sus consecuencias, o rechazarlo.

Aquellos que se negaran a ser transplantados, continuarían como seres mortales y acabarían por cumplir su ciclo vital. Los otros, los que se prestasen al juego, ganarían fuerza y poder y desearían, lógicamente, continuar en la misma rueda. Y para conseguirlo, procurarían no enfrentarse a las directrices, las normas morales o las simples «simpatías» políticas e ideológicas de quienes tenían en sus manos la facultad de hacerles vivir o morir. Por lo tanto, aun sin proponérselo, sus normas morales o sus inclinaciones políticas concluirían por imponerse.

Y cabía preguntarse: ¿Estaban capacitados, aquellos invisibles científicos, para gobernar el mundo aunque fuera de un modo indirecto? Observó a Ericsson. Nada o casi nada sabía de él, de su forma de ser, o de su ideología política. Podría ser fascista, socialista o comunista. Podía abogar por la integración racial u odiar a los negros. Podía estar a favor de la vida, o de la eutanasia, y, como él, sus jefes. ¿Cuántos serían? ¿Opinarían todos de igual modo con respecto a los temas básicos? ¿Discutirían entre ellos sobre el comportamiento de sus pacientes en su vida futura?

—Es una locura... —comentó al fin en voz alta—. Una locura. Una pesadilla de la que espero despertar en cualquier momento, y me niego a aceptar que alguien haya encontrado la puerta que conduce a la inmortalidad y pretenda ser el único dueño de la llave. No tienen derecho —negó convencido—. No tienen derecho. Este descubrimiento es demasiado grande para pertenecer a unos pocos. La Humanidad entera debería participar de él.

—Eso es imposible —objetó Ericsson—. Tan sólo dos cirujanos son capaces hoy en día de unir perfectamente la médula espinal... Ése es el punto clave de la operación. El menor fallo significa el fracaso y una intervención así requiere semanas de estudio y muchos días de trabajo. Preparar nuevos cirujanos llevará años, aun seleccionándolos entre los auténticos «fuera de serie». Los nuestros quedan tan extenuados física y emocionalmente tras cada intervención, que necesitan un largo descanso. Si hicieran público su descubrimiento, se produciría una histeria colectiva entre enfermos, ancianos, y todos aquellos que temen a la muerte. Y se necesitan veinte años para que un «cloning» esté en condiciones de ser utilizado. ¡No! —negó seguro de sí mismo—. Habrán de pasar al menos tres generaciones, antes de que la Humanidad esté capacitada para aceptar este sistema. Y este sistema, en condiciones de aceptar a la Humanidad.

—¿Qué vas a hacer ahora?

—No lo sé. Ericsson me ha pedido que me quede unos días en la isla, y medite.

Había tomado asiento ante una pequeña mesa en el rincón más apartado de la inmensa piscina, contemplando cómo caía la tarde y las sombras de los volcanes se alargaban como gigantescos conos oscuros sobre un mar que aparecía muy quieto y muy brillante.

El calor había disminuido, pero aún quedaban bañistas en la playa y la piscina, disfrutando de aquélla, la mejor hora del día sobre la isla.

Sacha Cotrell había sabido escuchar sin un solo comentario el relato de Alain sobre la larguísima conversación que había mantenido con Ericsson y pareció necesitar unos minutos en su intento de asimilarla por completo.

—¡Resulta tan portentoso...! —dijo al fin, olvidándose incluso de fumar, tal vez por primera vez en muchos años—. Tan irreal, y al propio tiempo tan dentro de la lógica... —Paseó la mirada por la línea del horizonte hasta el promontorio sobre la isla y la dejó clavada allí como si la roca de lava hubiese aprisionado su atención, impidiéndole apartar los ojos o realizar un solo movimien-

to. Su mente permanecía de igual modo aprisiona-
da, porque trataba de asombrarse pero, inexplica-
blemente, no lo conseguía, porque ya su subconsciente presentía de algún modo que sólo algo semejante llegaría a aclarar cuanto había venido
observando en los últimos días.

Sacha Cotrell era y había sido siempre un periodista acostumbrado a aceptar con mayor rapi-
dez que el común de los mortales los más extraños hechos y sus más imprevisibles consecuencias: guerras, revoluciones; la explosión de la
primera bomba atómica; la llegada del hombre a
la Luna, o el nacimiento de un niño-probeta, todo
era hoy noticia sorprendente y casi increíble, pero
mañana entraba a formar parte de la rutina, asi-
milada con desconcertante normalidad por una especie humana que había perdido tiempo atrás su
capacidad de asombro.

«El primer día que los extraterrestres aterri-
cen en los Campos Elíseos provocarán una conmoción —decía siempre—, pero al tercer día les
tocarán el claxon para que no interrumpan el trá-
fico.»

Básicamente ese pensamiento burlón había
marcado el comportamiento profesional de Sacha
Cotrell a lo largo de toda su vida.

El hombre de finales del siglo XX se había acostumbrado de tal modo a lo extraordinario, que
había concluido por convertirse en un apasionado
amante de la rutina. Como ciega máquina sin fre-
nos, pasaba por encima de hechos históricos, ha-
zañas portentosas o descubrimientos inimagina-
bles, triturándolo todo entre las indestructibles
mandíbulas de la vacuidad de la cotidiana existencia, derrotándolo con sus miles de millones de
pequeñas batallas por la supervivencia, y ahogán-
dolo en un mar de egoísmos individuales que nunca habían tenido ni fondo ni horizonte.

«"El hombre puede vivir mil años siempre joven..." ¡Bien! ¿Y qué...? —se preguntarían de
inmediato—. ¿Seré yo uno de ellos? ¿No? En ese
caso, permítame continuar intentando pasar un
poco mejor lo que me queda de tiempo...»

Mirándolo bien, ésa era también su posición. A su edad, y dada su economía, Sacha Cotrell no podía aspirar a formar parte del grupo de los «elegidos» que tal vez alcanzarán algún día una forma de vida casi eterna. Por lo tanto, la revelación de Alain podía asombrarle, pero no excitarle, al igual que no le excitaría una hermosa mujer con la que supiera que nunca llegaría a acostarse.

Conocer la verdad le hacía sentirse menos nervioso que tan sólo presentirla, y su mente permanecía más fría, más crítica y analítica; más dispuesta a aceptar que la gran puerta hacia el futuro de la Humanidad estaba abierta.

—¿A dónde puede llevar?

—No me siento capaz de predecirlo —replicó Alain—. Necesito tiempo. Intento hacerme a la idea de que quizá viviré mil años sin sentirme nunca viejo, y no sé si ponerme a dar saltos de alegría, o echarme a llorar. —Hizo una pausa—. En cierto modo, aún no acabo de creerlo... ¿Lo crees tú...?

—No considero a nadie capaz de inventar algo tan fantástico si no fuera verdad —replicó Sacha convencido—. Estudiándolo con detenimiento, no deja de tener una cierta lógica. No se trata más que de unir factores que existen por separado. El trasplante de cabeza es factible y su mayor dificultad estriba en el «rechazo». Si entre dos seres clónicos no existe posibilidad alguna de rechazo por tratarse de las mismas células y los mismos tejidos, se suman ambos conceptos y se obtiene este resultado. A cualquiera se le podía ocurrir, y no hace falta ser un genio para ello... —Hizo un amplio ademán abriendo las manos y encogiéndose de hombros—. La dificultad estriba en llevarlo a la práctica...

—Pues lo han logrado... —Le miró a los ojos—. ¿Y ahora, qué?

—Eso depende de ti... ¿Guardarás el secreto...?

—De momento, sí... Y me he comprometido también por ti... ¿He hecho bien?

—Desde luego... Haré lo que digas.

—Sabía que podía confiar en ti... —La voz de Alain denotaba la profundidad de su convicción—. Sé también que Sir Thomas no irá por ahí contando que soy un monstruo.

—¿Eso es lo que piensas de ti...? —se sorprendió Sacha—. ¿Te consideras un monstruo...?

—¿De qué modo describirías a una «cosa» formada con los pedazos de dos seres muertos? ¿Qué diferencia existe entre Frankenstein y yo...? Él es más alto, más estúpido y más feo porque le salen tornillos de la cabeza, pero, básicamente, el principio es el mismo.

Había tanta amargura en las palabras de Alain, que Sacha se sintió conmovido y en cierto modo preocupado.

—No creo que me resulte factible ponerme en tu lugar, ni que te sirvan de nada mis consejos —dijo—, pero, en mi opinión, deberías desechar ese tipo de ideas que pueden acabar afectando tu equilibrio emocional.

—¿Temes que acabe por volverme loco...?

—Temo que te obsesiones con el convencimiento de que en tu interior va a librarse una lucha entre dos seres.

—¿Y no es lo que va a ocurrir...? —inquirió Alain con una cierta ironía amarga—. Ericsson asegura que el cerebro es el hombre, pero no es infalible...

—Un corazón puede detenerse y volver a ponerse en marcha si se le estimula de modo conveniente. Pero en el momento en que el cerebro se detiene, todo concluye. No existe más vida que la cerebral, y por ello, tal vez resulte lógico aceptar que todo cuanto posibilite prolongar esa vida cerebral, deba considerarse lícito.

—¿Incluso asesinar...?

Sacha Cotrell dudó y se tomó unos minutos para meditar la respuesta, pues tenía plena conciencia de que era aquélla, a su modo de ver, la más difícil pregunta que jamás le habían hecho.

—Me temo que ni tú, ni yo, ni nadie, estemos en estos momentos capacitados para decidir si la muerte de un ser clónico debe ser considerada o no un asesinato —replicó—. Probablemente ése constituirá sin duda uno de los grandes temas de discusión del futuro. Los Tribunales tendrán que decidir al respecto, y resulta factible que cada nación establezca una legislación diferente, al igual que está ocurriendo con el aborto, la pena de muerte, o la eutanasia...

—No veo por qué una criatura idéntica a nosotros, que habla, siente y piensa como ser humano, no tenga que ser considerada ser humano...

—Una copia: un ser humano. De acuerdo. Dos copias: dos seres humanos... De acuerdo también. —Se inclinó hacia delante—. ¿Pero y diez millones de copias exactamente iguales que acaben por actuar como auténticos «robots» a las órdenes telepáticas de su «hermano mayor»...? ¿También serán seres humanos...? —Cambió bruscamente el tono de su voz—. ¿Has averiguado cómo obtuvieron tus células para fabricar el primer «cloning»...?

—Hace unos veinte años tuve relaciones con una muchacha de la que ni me acuerdo... La enviaban ellos. Recibió mi esperma y mientras dormía debió obtener células de mi piel...

—Entiendo... ¿Tienes una idea de cuántas células sexuales contiene una eyaculación masculina normal...? Trescientos millones... ¿Y cuántas células hay en un mechón de tus cabellos o un pedazo de tu piel...? Junta todo eso y obtendrás una idea de los miles de millones de seres que se fabricarían partiendo únicamente de ti... Dime... ¿Los considerarías a todos, «absolutamente a todos» seres humanos...?

—Primero necesitaría conocer la definición exacta de «Ser Humano»... Aparte de que no se limita a una cuestión de números, sino, más bien, a una cuestión moral.

—Pero la moral es a su vez una cuestión de costumbres —le hizo notar Sacha con razón—. En Sudáfrica, mantener relaciones sexuales con una negra está considerado «inmoral», y en el Irán de Jomeini fusilan a los homosexuales, mientras que en Europa se les permite incluso casarse...

—No es esa «moral» a la que me refiero y lo sabes... —le atajó Alain—. Es al sentido moral que llevamos dentro, y que nos dicta lo que debemos o no debemos hacer.

—Pero eso también cambia... A unos se les antojará perfectamente lícito que un «desecho biológico» sirva un día para prolongarles la vida y mantenerles jóvenes. ¿Por qué no? ¿Por qué implica matar...? Cuando a los Gobiernos les interesa, nos convencen de que el hecho de matar en las guerras se transforma en algo heroico... —Sonrió burlón—. ¿Acaso es más importante la política que la vida eterna? —Dejó pasar de nuevo unos instantes permitiendo que Alain asimilara cuanto pretendía inculcar—. Otros, sin embargo, se opondrán a ello, y tal vez se llegue a un enfrentamiento armado entre los partidarios del «cloning» y sus enemigos... Guerras mucho más estúpidas se han sucedido a lo largo de la Historia —sentenció—. Lo cierto es que todo esto pondrá el mundo patas arriba y cambiará los conceptos morales y religiosos. Y no te envidio si estás presente, porque no me siento con fuerzas, pese a toda mi curiosidad periodística, para ser testigo de semejante conmoción.

—Tú lo dijiste... —señaló Alain—. Será como cuando aseguraron que la Tierra era redonda.

—Será peor... —le corrigió Sacha—. Porque no creo que nadie esté mentalmente preparado para vivir siempre... Ni preparado tampoco para aceptar los cambios que vengan. Ni para predecir la magnitud y profundidad de tales cambios, porque se dará el caso, por ejemplo, de que aquellos que con más vehemencia defienden el derecho a la vida, es decir, los más creyentes, se nieguen, sin embargo, a respetar la vida de un «cloning» alegando que ha sido «fabricado» por el hombre sin intervención divina.

—¿Y acaso no es cierto...?

—Sí, lo es, maldita sea, pero ¿quién tendrá la última palabra? Todo deberá cambiar: la religión, la moral, la economía y las relaciones humanas. Tendremos que reestructurar una sociedad partiendo de cero, porque unos cuantos «sabios» se han encerrado ahí arriba y curiosean en sus microscopios trazando planes para el futuro de la Humanidad. Pero ese futuro se les escurrirá entre los dedos, tenlo por seguro... —Señaló hacia el último piso del edificio—. ¿Quiénes son...? ¿Cuántos son...? ¿Qué piensan sobre Dios o sobre política? ¿Qué has logrado averiguar sobre ellos...?

—Nada. Nada en absoluto... —admitió Alain—. Ni su número, ni sus convicciones, ni aun su edad o nacionalidad. Son científicos, eso es todo. Médicos y biólogos, y lo único que pretenden es continuar trabajando sin que nadie les moleste ni les diga lo que tienen que hacer.

—O lo que no tienen que hacer... —replicó Sacha con intención—. Porque está claro que se han reservado el derecho a matar... —Le observó con interés—. ¿Qué piensan hacer con esa muchacha? ¿La degollarán para que Shireem Von-Willprett pueda presumir unos cuantos años más de buen culo y buenas tetas...?

—Ericsson ha prometido impedirlo.

—Pero ése era su fin, ¿no es cierto? Y si no hubiéramos llegado nosotros, lo hubieran hecho.

Alain asintió en silencio, y Sacha hizo a su vez un gesto de comprensión.

—¡Dios! Todo me resulta muy confuso, pero, «cloning» o no «cloning», se me antoja un asesinato sin justificación posible.

—Shireem tendrá que conformarse y morir cuando le llegue el turno. Como ha sido siempre, y como debe ser.

Una luna pálida, tímida y casi irreal se había alzado tiempo atrás en el horizonte, pero Alain no reparaba en su presencia, inmerso como estaba en sus pensamientos, tan ajeno a todo, que se le podía creer proyectado al espacio exterior desde el que se contemplaba a sí mismo, sentado frente al mar, esforzándose por asimilar cuanto había visto y oído a lo largo de aquél, el más extraño día de su vida.

Era como si su cuerpo hubiese quedado de improviso vacío de sus huéspedes, contemplado desde la altura como una cáscara abandonada, dotada de movimiento pero incapaz, no obstante, de sentir.

Alain deseaba cortar por unos instantes cualquier dependencia entre él y aquella envoltura que en parte no le pertenecía, pues únicamente a través de tal distanciamiento le resultaría factible estudiarse, analizar sus sentimientos, obtener alguna respuesta válida a los millones de preguntas que se agolpaban en su mente.

Sacha había emprendido el largo camino del acantilado en busca de Sir Thomas, y se encontraba por tanto a solas; a solas con todo el horror que experimentaba, y que iba ganando fuerza en su interior; a solas con el más profundo dolor que pudo padecer jamás un hombre; a solas con aquel otro ser que habitaba en su mente.

Habría deseado saber algo de él, y de cómo era antes de que le degollaran para que su cuerpo joven y lleno de vida sostuviera una vieja cabeza ya cansada, pero Ericsson se había negado a proporcionar cualquier tipo de información.

Quién fue, dónde vivió, cómo se llamaba o qué planes tenía para un futuro que nunca supo que no habría de llegar, eran preguntas que se repetía una y otra vez en busca de una memoria perdida, la memoria de un muchacho que muy pocas cosas de importancia guardaría aún en su memoria.

Se contempló las manos; aquellas manos fuertes, de piel tersa sin una sola mancha de vejez; morenas y tostadas por el sol, que tal vez un día acariciaron, apasionadas, los pechos de una hermosa mujer, y pretendió, casi inconscientemente, que esas manos le revelaran cómo había sido su dueño; qué le hizo feliz o desgraciado y a quién había amado.

Eran unas manos a las que les gustaba pescar y que un día se hicieron un corte que dejó una cicatriz que sobreviviría a su dueño; manos de hombre acostumbrado a la vida activa y al aire libre; manos en las que ni siquiera las huellas dactilares eran diferentes y en las que una gitana habría leído, aun teniendo las mismas líneas, destinos distintos.

¿O era acaso el mismo su destino, puesto que un día ambos acabarían por unirse?

Alain comenzaba a comprender que ya no sentía aquel temor insano al otro ser que compartía su existencia y su cuerpo. Ahora deseaba compartirlo, y era aquél un precio que quería pagar haciendo un hueco cada vez más grande a aquel «hermano menor» que ya no podía considerar como a un intruso, sino como a una amada parte de sí mismo.

Era como un hijo al que nunca había conocido pero al que amaba más de lo que quiso a nadie;

con ternura, con tristeza y con agradecimiento porque le había cedido lo más preciado que tenía: la vida; una vida que compartirían en adelante, como padre e hijo, como hermanos, casi como cómplices o amantes.

Giscard d'Estaing consideraba que el receso demográfico que tan agudamente afectaba a los países desarrollados, tenía sus orígenes en el profundo cansancio biológico de la especie. Edward O. Willson, eminencia biológica de Harvard, opinaba que el «sueño» de todo ser viviente, de la bacteria al hombre, era multiplicarse sin fin, idéntico a sí mismo a través de sus genes. Tal vez el cansancio biológico de la especie humana venía dado por el hecho de que dicha especie había llegado inconscientemente a la conclusión de que procreando hijos por medio de la unión sexual, no se reproducía a sí misma. Demasiado a menudo, la unión de los dos grupos distintos de cromosomas daban origen a un ser opuesto a sus padres en ideas y ambiciones.

Era un caso que jamás podría producirse entre especies inferiores que tan sólo respondiesen al instinto. Como siempre, la inteligencia hacía diferente al hombre. Diferente incluso de sus padres.

Se hacía por tanto precisa una «mutación» que la Humanidad venía aguardando desde tiempo atrás, y en la que cada individuo tendría la seguridad de que sus genes no constituirían la mitad de los genes de un posible enemigo, sino que a través del «cloning» darían origen a «hijos» o «hermanos menores» en los que todos sus cromosomas, todos sus sentimientos y, probablemente, todas sus ideas se verían reflejados.

Sería ése, quizás, el fin de la eterna lucha generacional, y el granególatra que se escondía en cada ser humano se sentiría orgulloso de su heredero, y de ser siempre el mismo y siempre distinto, como un Ave Fénix que renaciera de sus propias cenizas, cada veinte años más fuerte, más inteligente, más capacitado que su «padre» para triunfar aun siendo básicamente el mismo.

Qué grado de interdependencia existiría entre

esos seres, o hasta qué punto se necesitarían, eran preguntas a las que Ericsson no había sabido dar respuesta. Tampoco la tenía para el hecho de que la mente del «hermano menor» pudiera quedar en blanco al morir el donante, o para la latente amenaza de «doble personalidad» que se cernía sobre el individuo resultante, atribuyéndolo todo a confusos problemas telepáticos. Demostraba con ello hasta qué punto estaban jugando a ser «aprendices de brujo», ignorantes de las consecuencias de la mayoría de sus caprichosos «pases mágicos».

· La visión de una nueva especie humana decidida a la larga a perpetuarse a sí misma como individualidades independientes sin dar paso a nuevas generaciones, sangre joven resultante de la unión sexual, o ideas revolucionarias, se le antojaba apocalíptica.

En opinión de Sir Thomas, ésa constituiría sin duda la meta final de la «evolución» que tan chapuceramente había llevado a cabo la Naturaleza a través de sus millones de años de dar palos de ciego: de la célula al pez, del pez al mono, del mono al hombre, y ese hombre —«cima de la evolución»— aprendía a «reciclarse» a sí mismo en un eterno círculo vicioso, disco rayado que repetiría hasta la eternidad idéntica canción.

Desde el punto de vista meramente biológico resultaba admisible el «reciclaje» de un ser que expulsara una parte de sí mismo para reabsorberla años más tarde y mantenerse de ese modo fuerte y vivo por más tiempo. Desde el punto de vista religioso, moral, económico y social esa admisibilidad quedaba en entredicho.

Cada ser humano; cada uno de los miles de millones de habitantes del planeta reaccionarían de modo diverso ante la posibilidad de convertirse en un «elegido para una vida continuada». Una votación universal y secreta arrojaría probablemente una mayoría de partidarios de esa «vida continuada», por más que, aisladamente, cada individuo se mostrara opuesto a ella.

El miedo a la muerte había sido, desde el origen de los tiempos, consustancial al hombre, y tan sólo una minoría de suicidas, fanáticos de la religión o fatigados mentales, se mostrarían de acuerdo con la idea de abandonar ese mundo para pasar a otra vida de cuya existencia real nadie poseía aún pruebas irrefutables.

Del mismo modo que, en la actualidad, tan sólo algunas sectas muy rígidas se negaban a aceptar una transfusión de sangre ajena, o el trasplante de un riñón que pudiera salvarles la vida, llegaría un momento en que tan sólo unos pocos se negarían a ser reciclados en su propio «hermano menor» si desde niños se les había convencido de que ese hecho no resultaba moralmente objetable.

El temor, justificado, a un «más allá» nebuloso, inclinaría la balanza del lado de un «más acá» concreto, en cuanto no se sintieran imbuidos de una gran fe religiosa o rigidísimos principios morales.

Incluso los más convencidos; los que optasen por mantenerse dentro de las tradicionales leyes naturales y divinas aceptando las limitaciones de su antiguo ciclo vital, descubrirían un día que la duda anidaba en sus mentes, martirizándoles, pues nunca abrigarían la absoluta certeza de que aquella nueva opción no les venía ofrecida de un modo indirecto por su Creador, Supremo Arquitecto y Ordenador de todo el acontecer del Universo.

Sentado allí, a solas bajo una luna que había cruzado ya sobre su cabeza y comenzaba a ocultarse tras los muros del edificio, se preguntaba si aquel reciclaje de la especie humana significaría que ésta había alcanzado el estadio final o «mutación definitiva», o si, por el contrario, constituiría tan sólo la apertura de una «primera puerta» hacia un futuro evolutivo que nadie alcanzaba a imaginar.

La técnica había enviado naves al espacio imposibles de tripular porque ningún ser humano viviría lo suficiente como para alcanzar otra galaxia, y, casi simultáneamente, la Ciencia encontraba el medio de que esos tripulantes pudieran «sucederse a sí mismos». Sería por lo tanto factible que un astronauta pusiese los pies en esa otra galaxia con las mismas fuerzas e idénticas apariencias y convicciones que cuando emprendió su viaje, cientos de años atrás.

Si esa relación se debía o no a la casualidad, Alain no sabría decirlo, del mismo modo que se sentía incapaz de abarcar, sin ayuda externa, la complejidad del nuevo orden de cosas frente al que las circunstancias le habían colocado y que superaba la capacidad de asimilación de cualquier mente humana.

Debería ser el conjunto de la Sociedad la que en el futuro determinara las repercusiones que la aplicación de los descubrimientos biológicos llegaría a tener sobre esa misma Sociedad en cada una de sus facetas, y serían tantas y tan diversas esas facetas afectadas, que Alain dudaba que alguna de ellas se salvara al encontrarse, de improviso, resquebrajada en sus cimientos.

El hombre había evolucionado desde su aparición sobre la Tierra, adaptándose a todo y adaptándolo todo a sí mismo en una camaleónica capacidad de permanecer y cambiar al propio tiempo, fiel únicamente a dos principios básicos: nacer y morir. Entre estos dos puntos, todo era factible, pero esas dos columnas nadie había soñado con moverlas.

Ahora, por el milagro de la ingeniería genética, el hombre podía no nacer, sino ser fabricado como el esqueje de una planta que se clava en tierra, y podía, igualmente, no morir, aniquilando de un soplo las más arraigadas leyes de la Naturaleza.

¿Resistiría algún detalle del edificio social montado por el hombre, al hundimiento de sus dos pilares inamovibles?

Alain lo dudaba, y lo dudaba, sobre todo, porque los hastiados hombres y mujeres que poblaban en esos momentos la faz de la Tierra y, muy en especial, su desorientada juventud, andaba desde muchos años atrás a la búsqueda de nuevas creencias y horizontes que vinieran a sustituir las obsoletas creencias religiosas moribundas y los falsos horizontes materiales de antaño.

Aquella puerta que la Biología y la Genética abrían ahora a lo desconocido podría convertirse, quizás, en el punto hacia el que convergieran, en su intento por escapar, todas las tensiones y todas las frustraciones que aprisionaban y aplastaban al género humano.

Cuando hombres como Sir Thomas concluían por renegar a conciencia de la Naturaleza; cuando Dios —cualquier dios— había dejado de hacer acto de presencia en los corazones; cuando ideologías contrapuestas aceptaban dividirse el mundo, y el futuro económico se precipitaba hacia los más insondables abismos, ¿quién aseguraba que la posibilidad de una «mutación» no se convirtiera en la última esperanza de una especie en decadencia...?

Devorar a sus «hijos», perpetuarse a sí mismos repitiéndose hasta la saciedad y el agotamiento, constituiría un grandioso último acto de tragedia digno de quien había sido capaz de destruir a cientos de especies animales y asolar la Tierra que le había dado cobijo.

Si esa Madre Tierra constituía ya un erial sin esperanzas y durante millones de años el hombre había aniquilado a sus hermanos irracionales..., ¿extrañaría a nadie que ahora fuese capaz de cesar de reproducirse sexualmente con tal de perpetuarse a sí mismo...?

Pensó en Shireem. En la Shireem dura, egoísta y cruel con quien cenara una noche en París dos meses antes. Y pensó en la Shireem joven, orgullosa de su cuerpo reflejado en el espejo cuando hacían el amor, que conociera tanto tiempo antes. Shireem no dudaría un segundo a la hora de matar, con tal de recuperar aquella juventud y aquel cuerpo del que disfrutar mirándose al espejo. Shireem se aferraría a la vida con uñas y dientes, como se había aferrado al poder y al dinero, y como intentaba aferrarse a una belleza que se le escapaba. Shireem ofrecería la mitad de su fortuna por disponer de vida con la que disfrutar de la otra mitad, y Alain sabía muy bien que existían millones de Shireem en el mundo.

Sentado frente al mar, estudiándose como a un extraño, como a un cuerpo vacío, allí, bajo él, en el umbral de las tinieblas, Alain tomó conciencia de que necesitaría años para aceptarse tal como era, y aceptar el nuevo hecho de vivir.

Y tuvo miedo.

Miedo al mundo exterior y al suyo propio. Miedo a morir, y miedo a vivir demasiado. Miedo a volverse loco, y miedo a no ser capaz, a la larga, de compartir su cuerpo.

Y tuvo miedo de que ya no estuviera allí Dios como última esperanza, y miedo a que estuviera ese Dios para pedirle cuentas de sus actos.

Y tuvo miedo, sobre todo, a que el día en que le ofrecieran asesinar de nuevo a uno de sus «hijos» y perpetuarse en él, ese mismo miedo le obligase a aceptar.

Contempló la cicatriz de su dedo, observó su cuerpo joven hermoso y fuerte, pensó en aquel otro que había sido suyo y que estaría ahora pudriéndose en una oscura tumba, y rompió a llorar mansamente porque conocía de antemano la respuesta:

Como todos los seres vivos, tendría miedo a morir.

Le despertaron unos golpes muy suaves, como temerosos, en la puerta de la habitación.

Tardó en reaccionar, ignorante de cuánto tiempo había dormido, y cuando se puso en pie sus huesos se quejaron entumecidos por la incómoda posición.

Golpearon de nuevo.

Atravesó el amplio dormitorio cubierto de gruesa alfombra y abrió la puerta.

Desde las sombras del pasillo, unos ojos negros, muy abiertos, casi incrédulos, le miraron y luego una voz sollozó rota por la alegría:

—¡Oh Dios mío...! ¡Realmente eres tú...!

Cayó en sus brazos y se apretó contra él desesperadamente.

Era menuda, delgada, de boca grande, casi inmensa, comparable tan sólo con el tamaño de sus ojos, y se diría que ojos y boca dominaban su rostro y aun toda su persona, vivaz, nerviosa, incluso temblorosa ahora, estremeciéndose contra él como presa de un ataque de histeria.

—¡Leo, Leo! —repitió una y otra vez—. ¡Amor mío...!

Le besó apasionada, y reconoció aquellos labios llenos de vida y aquella boca única que despertaba mil ecos confusos en su mente y un millón de extrañas reacciones en su cuerpo.

Sintió cómo cada uno de sus vellos se erizaba y cada centímetro de su piel sufría una descarga eléctrica, y sin saber quién era él mismo en ese instante, quién era ella, ni por qué hacía aquello, cerró la puerta, la alzó en el aire como a una muñeca, y la tumbó en la cama donde hicieron el amor como nunca antes lo había hecho; como jamás pensó que pudiera hacerse, conocedor de cada rincón maravilloso de aquel cuerpo diminuto, sensual y perfecto; un cuerpo que lo daba todo y que parecía conocer también, a fondo, cada rincón de su propio cuerpo.

Al fin quedaron jadeantes cara al techo unos instantes antes de mirarse nuevamente.

—Sabía que volverías... —musitó ella—. A veces tenía la sensación de que habías muerto, pero otras, a solas por la noche, me negaba a creer que esto jamás llegaría a repetirse... —Buscó el fondo de sus ojos, extendió la mano y le acarició el rostro—. Te han salido arrugas... —señaló—. ¿Quién te ha hecho sufrir...?

No respondió. Se limitó a mirarla, y de pronto, sin saber por qué, un nombre salió por sí solo mientras acariciaba la comisura de aquella boca irrepetible.

—Patricia.

—Repítelo... —rogó.

—Patricia.

—Una vez más...

—Patricia... Te quiero.

Y supo que era cierto lo que estaba diciendo;

que nunca antes, ni siquiera en aquel verano olvidado en casa de la abuela había amado como amaba a la desconocida de los inmensos ojos y la boca sin límites, y que jamás amaría ya a nadie de igual modo.

Ella se irguió sobre el codo, le miró mientras le acariciaba el cabello y su voz sonó a reproche:

—Aún no me has preguntado por él...

La miró en silencio.

—Es un niño... —añadió—. Y se parece a ti.

Se inclinó a besarle, y una vez más aquella boca le excitó como no pensó jamás que nada pudiera excitarle, buscó su lengua, luego su pecho y sus muslos, y se entregó a ella por completo hasta quedar exhausto, suspirar agotado y quedar nuevamente dormido.

Al despertar estaba solo.

Había sido un sueño, pero el olor a ella que quedaba en las sábanas y su ausente presencia en el aire llenándolo todo, le sacaron de su error, pues no era un sueño, y Patricia, quienquiera que fuese Patricia, existía.

Salió a la terraza desnudo como estaba. El *Lady Ann III* se mecía sereno en la bahía y le devolvió a la realidad. Sacha y Sir Thomas desayunaban en cubierta y el chino iba y venía de la mesa a la cocina. Él era ahora, de nuevo, Alain Remy-Duray, o al menos parte de él, y había llegado en aquel barco a aquella isla en busca de respuestas a preguntas que ahora desearía no haberse hecho nunca.

Admitió que en aquella isla, en la que sin duda en un tiempo había vivido, Leo había sido dueño de su cuerpo —y aun de su alma— durante parte de una larga y maravillosa noche, pero no sintió rencor ni miedo. Estaba en su derecho, y en el fondo, él, Alain, tenía que sentirse agradecido porque Leo —quienquiera que en vida hubiera sido Leo— le permitiera participar del amor de Patricia, de su cuerpo, sus ojos y su boca.

Patricia.

—¿Quién es Patricia...?

—La intérprete.

—¿Y Leo...? ¿Quién es Leo, doctor...?

Ericsson le observó en silencio, se contempló un segundo las cuidadas uñas y alzó de nuevo el rostro.

—¿Por qué me hace esa pregunta? ¿Usted sabe ya quién es Leo...? ¿O no...?

—Sí... Lo sé... —admitió Alain—. Leo soy yo... ¿Pero Leo qué más...?

—Leo Lizárraga. Nacido en San Juan, Puerto Rico, el once de octubre de mil novecientos cincuenta y ocho. Muerto en París, el veinte de marzo de mil novecientos setenta y nueve.

—¿Está seguro...?

—No —admitió Ericsson—. No estoy seguro de que naciera... Ni de que haya muerto... —Hizo una pausa— ...por completo.

—Hábleme de él.

—Era sencillo, alegre, fuerte y hermoso. Le gustaba pescar y nadar... Las mujeres le amaban, pero él solamente amó a una...

—Patricia.

—Sí. Patricia... Nunca me atreví a confesarle que jamás regresaría.

—Tenemos un hijo... Dice que se parece a mí.

—Lo he visto. Pero no es su hijo. Es hijo de Leo.

—¿Está seguro...? —insistió.

—No. —Replicó de nuevo el médico—. No estoy seguro de nada... ¡Dios...! —rogó—. No me presione. He pasado noches enteras sin dormir pensando en esos pobres muchachos...

—Pero estaba dispuesto a pasar igualmente noches sin dormir pensando en esa muchacha que aguarda abajo a que la degüellen. ¿O no...?

—¡Usted no lo comprende...! —se lamentó—. Nadie puede comprenderlo... —añadió—. ¡Hay que hacerlo...! ¡Hay que cerrar los ojos al sentimentalismo y hacerlo...! Es el futuro de la Humanidad lo que está en juego... Somos los primeros en tener que tratarlos como a objetos y resulta difícil, ¡muy difícil...!, pero llegará un día en que todos sepamos que no tienen alma; que no son humanos... Que no cuentan...

—Pero hablan, viven y aman como humanos... Y tienen hijos... ¿Cómo es ese hijo: humano o no humano? ¿Tiene derecho a la vida, o lo degollarán también algún día? ¿Tiene alma o es tan sólo un mamífero que habla...?

—No me haga esas preguntas... —rogó.

—¿Por qué...?

—Porque sabe que aún no tengo respuestas.

—Ni las tendrá nunca... Nadie tendrá respuestas para todas las nuevas preguntas que se hará la Humanidad, y no se han detenido a meditar en el trauma que van a causarle.

—¿Acaso esa Humanidad ha encontrado respuesta a las preguntas que se viene haciendo desde hace miles de años...? —quiso saber Ericsson—. ¿Existe Dios? ¿Qué hay más allá de la muerte? ¿Hacia dónde vamos o de dónde venimos...? ¿Tenemos alma o nuestros sentimientos responden únicamente a reacciones químicas? No consiguieron respuestas, y frente a semejante incógnita, ¿qué representa las nuevas incógnitas que nosotros planteemos? Un cambio, eso es todo.

—¿Y no le aterra la responsabilidad de ese cambio?

—Me aterraría si me enfrentara a una Sociedad perfecta que se conoce a sí misma y encara su destino en busca de la paz, el equilibrio y la felicidad común. Pero nada de ello existe y usted lo sabe. Nuestra Sociedad se deteriora día a día y marcha hacia el caos y la catástrofe, incapaz de encontrar fórmulas que la salven de su autodestrucción... Cuando la vida humana se derrocha en guerras sin sentido o se destruye con drogas y crímenes absurdos, ¿tiene alguien derecho a juzgarnos porque trabajemos en favor de esas vidas humanas aun a costa de la de otros seres a los que no sabemos a ciencia cierta cómo clasificar...?

—Imagino que esos seres tendrían ese derecho... —puntualizó Alain—. Son parte interesada... —Hizo una pausa—. Pero nunca les preguntarán su opinión, ¿no es cierto...? Los tratarán como a humanoides a mitad de camino entre nosotros y una planta... —Se inclinó hacia delante apoyando las manos en la mesa—. ¿Cómo era Leo, doctor...? ¿Qué pensaba? ¿Qué sentía? ¿Cómo se comportaba ante la vida...?

—No quiero hablar de eso...

—Pero yo sí... —La decisión de Alain parecía inquebrantable—. Necesito hablar de ello. Quiero conocerlo, acostumbrarme a convivir con él, amarlo como me he amado a mí mismo desde que tengo uso de razón.

—Se volverá loco.

—¿Acaso es culpa mía? Ustedes me condujeron a esto.

Ericsson negó convencido:

—No. Nosotros ofrecimos curarle a cambio de dinero y no hacer preguntas... Sabíamos de antemano que no estaba preparado para asimilar los hechos. La mente humana es demasiado frágil para aceptar un cambio tan profundo. Nadie le pidió que viniera.

—Pero estoy aquí.

—No nos culpe por ello.

—De acuerdo. No los culpo. Pero es ya algo irreversible. —Hizo una pausa—. Por favor... —rogó—. Hábleme de Leo...

Ericsson meditó un largo rato y se diría que luchaba consigo mismo. Se puso en pie y se aproximó a la terraza. Miró hacia fuera. El mar le calmaba, de eso no cabía duda. Prefería siempre hablar así, de espaldas, como si se sintiera incapaz de enfrentarse a Alain cuando se refería a temas que, probablemente, también a él le afectaban. Cruzó las manos a la espalda en un ademán muy suyo —muy de médico podría decirse— y su voz no era la misma, ya que procuraba mostrarse frío y distante cuando señaló:

—Traté muy poco a Leo... Comprenderá que tenía motivos para querer mantenerme a distancia y no encariñarme con él. Mi tarea es, quizá, la más amarga aquí, pero la acepté porque ni mis manos son las de un cirujano genial, ni mi mente la de un investigador superdotado. Humildemente reconozco que ellos se encuentran a mil años luz por encima de mí, y que si deseo formar parte del equipo, debo aceptar el lugar que ocupo. Y sentirme agradecido... Me esforzaba por ver a Leo como el médico ve al paciente que sabe desahuciado. Estuvo aquí, en la isla, seis o siete meses y era un muchacho como cualquier otro de su edad: alegre, alborotador y lleno de ilusiones. A veces, no obstante, se mostraba lejano e introvertido como si tratara de buscar en su interior, sin saber qué era lo que en realidad buscaba. En una ocasión llegó incluso a decirme que sentía a Dios cuando dormía; que comenzaba a hablarle en francés o le mostraba personas, cosas y lugares que nunca había conocido antes, pero que se le aparecían con absoluta nitidez. Creía en la reencarnación, y que en una vida anterior se había llamado Alain.

—¿Cómo lo explica...?

—¿Qué explicación puede tener...? Usted lo sabe tan bien como yo... Mentalmente dependía de usted. Aprendió francés porque le obsesionaba y llegó a hablarlo a la perfección. A veces, al oírle, me parece estar de nuevo ante él, no únicamente porque sean físicamente exactos, sino porque hasta la voz, los gestos y la forma de reaccionar son también los mismos.

—¿Conoció a Shireem...? Quiero decir... a esa muchacha que se encuentra aquí... Laura...

—No. Llegó después.

—¿Cree que se hubiera enomorado de ella...?

—Lo dudo. Estaba enamorado de Patricia. Por mucho que puedan parecerse, no creo que los sentimientos tengan que ser obligatoriamente los mismos.

—¿Luego acepta que puedan tener sentimientos...?

—Nunca lo he negado... ¿Cómo iba a negarlo, tratándolos como los he tratado tan de cerca...? ¿Pero qué son los sentimientos...? Una reacción química si partimos de la base de que no somos más que un conjunto de esos elementos químicos, y nos olvidamos por completo de la existencia de algo tan indemostrable como es el alma.

—Según eso, usted sería también un mero conjunto de reacciones químicas, tampoco tendría alma, y en nada se diferenciaría de un ser «clónico»... ¿Por qué usted debe ser considerado entonces humano, y ellos no? ¿Por qué a ellos se les puede matar y a usted no...?

Se volvió a mirarle con una cierta ironía.

—Ésa es otra pregunta que me hago a menudo... —admitió Ericsson, volviéndose por completo—. Y confieso que tampoco encuentro respuesta, como a tantas otras... Únicamente me consuela saber que no debo ser yo quien intenta dar una solución a todos esos millones de nuevas cuestiones que se planteen en un futuro. No venga a mí, por tanto, a reclamarme o pedirme consejo. No pretenda, tampoco, que le cuente más cosas sobre Leo. No sé nada más sobre él... ¡No quiero saber nada más sobre él...! —Negó convencido como si no soportara una situación que ya le desbordaba—. ¡Fue usted, recuérdelo, quien rompió el trato...! Nosotros le salvamos la vida. Ahí concluyeron nuestras obligaciones. Usted, cuando se sabía al borde de la muerte no preguntó si teníamos que matar a una o a cien personas para curarle... No tiene derecho a hacerlo ahora...

Alain comprendió que poco más obtendría ya de Ericsson, fatigado, triste, y decidido a no continuar una conversación que le hacía daño y le atormentaba. Se puso por lo tanto en pie y se encaminó a la puerta.

—Está bien... —admitió—. No le presionaré más, pero continuaré intentando averiguar, por mi cuenta, quién era Leo.

El otro aceptó con un cansado gesto de la cabeza.

—Como quiera, pero, por favor, sea discreto.

Alain se dispuso a salir, pero antes de hacerlo se volvió y le señaló acusadoramente con el dedo:

—Y recuerde: No permitiré que le hagan nada a esa muchacha... Shireem no se merece que nadie dé la vida por ella.

—Antes de llegar al pueblo, una casa de verja verde, a la derecha. No tiene pérdida.

En efecto, no tenía pérdida, y allí estaba, blanca, pequeña, rodeada de un jardín muy cuidado y una verja verde, recién pintada.

Apoyó la bicicleta contra el muro, atravesó el jardín, y golpeó la puerta, abierta para que la brisa penetrara refrescando en aquélla, la hora más calurosa del día.

—¿Sí...?

Apartó una cortina de cuerdas trenzadas y penetró en la estancia en penumbras, sencilla y cómoda, rústica en los muebles, aunque salpicada de detalles modernos que acusaban la presencia de una mano divertida y fantasiosa.

Permaneció muy quieto, observándolo todo, esperando y tratando de adaptarse a las sombras, hasta que la voz le llegó de nuevo, en español:

—¿Sí...? ¿Quién es...?

Avanzó hasta el umbral del dormitorio que se abría al fondo. Era grande, personal y coqueto, dominado por una cama inmensa y baja, cubierta por una colcha azul de hermosas flores blancas, y una cuna azul y blanca también, haciendo juego.

Una anciana arrugada de ojos profundos y negras vestiduras de campesina limpia le observó en silencio con una cierta expresión de reproche en la mirada.

—¡Vaya...! —masculló al rato—. Al fin se decide a conocer a su hijo...

Comprendió lo que decía, más por su rostro que por sus palabras, casi mordidas en un castellano duro y rápido, y avanzó con miedo hasta enfrentarse con la cabecita de cabellos muy negros del niño que dormía.

Le observó en silencio. La mujer abandonó la estancia y le dejó a solas con la criatura, que no se parecía en realidad a él, porque una cosa tan pequeña no podía parecerse aún a nadie.

Pero era su hijo. De eso estaba seguro. Hijo de Leo, y, por lo tanto, de algún modo que no lograba explicarse, hijo suyo también, ya que Leo y él eran ya una sola persona.

Y de Patricia.

Pedaleando por la suave pendiente había venido pensando en ella, evocando sus ojos, su cuerpo pequeño y perfecto, y, sobre todo, siempre por encima de todo, su boca, desmesurada y plena; inolvidable.

Hubiera deseado encontrarla en la casa, necesitado de hacerle nuevamente el amor, pues el recuerdo de la noche antes le obsesionaba, prevaleciendo incluso sobre todas aquellas otras obsesiones, tan distintas, que le asaltaron desde el momento en que descubrió la verdad sobre sí mismo y su curación.

Se preguntaba cómo era posible que aquella mujer hubiera irrumpido tan violentamente en su vida, llenándola, y llegó a la conclusión de que en verdad se encontraba ya arraigada en esa vida —o en la de Leo— desde mucho tiempo atrás.

Y si los sentimientos —como el doctor Ericsson sostenía— respondían a simples reacciones químicas motivadas por el contacto de una piel, el olor de un cuerpo o el eco de una voz, actuaban ahora sin duda sobre la parte de sí mismo que continuaba perteneciendo a Leo y que, instintivamente, debería experimentar la misma atracción por Patricia que experimentaba en vida.

Sin embargo, no hacía aún veinticuatro horas que imaginó continuar amando a Shireem en la persona de aquella muchacha, Laura, que era su propia imagen rejuvenecida.

Pensó en ella.

En París, la vieja, egoísta y destruida Shireem le había asqueado. Allí, en la isla, la nueva Shireem había despertado en su memoria recuerdos maravillosos que quizá confundió con el amor de otros tiempos.

Fue la evocación de los más bellos años de su vida, y esa evocación constituía, sin duda, una nueva forma de amar aunque no de amar a la persona, sino de amar a los recuerdos que esa persona hacía aflorar nuevamente.

O quizá, ¿por qué no?, estuviera en trance de desencadenarse en su interior una lucha entre su amor «mental», hecho de recuerdos, por Shireem, y su amor «físico», hecho de realidades, por Patricia, primer enfrentamiento de dos seres que ocupaban su cuerpo.

Había sido la entrega total de Patricia; una entrega como no había hallado en ninguna otra mujer, ni aun siquiera en la Shireem de aquel verano del cincuenta y tres, lo que había hecho explotar en su interior, en lo más recóndito de sí mismo, sensaciones que jamás creyó que pudieran existir. Aquélla era, desde luego, la auténtica «comunión» o comunicación perfecta de dos cuerpos sin necesidad de palabras, ni aun de la más leve insinuación, como si hasta el más espontáneo de sus gestos y deseos perteneciese al rito de un ballet perfecto y mil veces ensayado ya, aun siendo distinto en cada ocasión.

Tomó asiento en la cama, se recostó en la almohada, y reconoció el tacto de la colcha, el olor de las sábanas, y los dibujos de la pared empapelada también en tonos azules y muy claros.

Estaba en casa.

Aquella sencilla habitación y aquel jardín, aquel comedor fresco y tranquilo, y aquel silencio roto de tanto en tanto por el trino de un pájaro en la acacia, eran y habían sido su hogar, y lo sabía.

Era su hogar como no lo fuera nunca el tétrico caserón de París, ni aun la alegre villa de Cap-Ferrat, o como no lo fueron los lujosos salones, el dormitorio desde el que dominaba la piscina, o el inmenso baño de mármol negro en el que podía caber, quizá, la casa entera.

Aquél era su hogar, y aquél su hijo.

Y comprendió que se había convertido en el primer hombre que hacía realidad el viejo sueño de reemprender la vida empezando todo de nuevo, venciendo el tiempo sin detener por ello el discurrir sin pausas de ese tiempo; sin alterar el ritmo de un mundo que giraba impasible a los cambios, indiferente incluso al hecho de que, al fin, alguien escapara a las reglas por las que se había regido desde que dejara de ser una masa gaseosa para comenzar a solidificarse en el espacio.

Aquél era su hogar, y aquél su hijo.

Luego entró ella. Le sonrió con naturalidad, feliz de verle, tomó al niño en brazos, dormido como estaba, se abrió la blusa, y le ofreció uno de aquellos pechos rotundos y llenos de vida que tanto amaba ya.

Se miraron. Ella extendió la mano, la colocó sobre su pierna y experimentó en el tacto una oleada de calor que le ascendía por todo el cuerpo. Ella sonrió de nuevo, cómplice y a la vez divertida. Cambió de pecho al niño y cuando lo supo satisfecho lo devolvió a la cuna, entró en el baño y regresó desnuda, tan perfecta como una diminuta figura de alabastro sobre el que destacaba el vello de su pubis y el negro rabioso y encendido de sus ojos.

Regresaron de nuevo al principio de todo; a la magia, siempre presente y jamás descubierta del porqué de la unión de dos seres que se transforman en uno solo, diciéndose las mismas cosas que millones de otros seres ya se habían dicho antes, pero que sonaban distintas, que «eran» distintas al decirse de nuevo entre aquellas paredes y sobre aquella cama.

Luego la apretó contra él y advirtió la calidez de sus lágrimas.

—¿Qué ocurre...?

—Me he sentido tan sola... Y es tan grande esta cama cuando faltas en ella...

No dijo nada. Le acarició el cabello, la besó dulcemente, y secó, con un dedo, su última lágrima.

Más tranquila ya, alzó los ojos hacia él:

—¿Por qué te fuiste...?

—No lo sé.

—¿Por qué has vuelto ahora...?

—No me hagas preguntas —rogó—. Estoy aquí, es todo lo que puedo decirte. Y jamás me he sentido mejor en parte alguna... Éste es mi hogar... —repitió ahora en voz alta lo que se dijera ya a sí mismo—. El único que tuve nunca...

—Me pareces, a ratos, tan distinto... —se lamentó—. Reconozco tu cuerpo, tu olor y tus besos, pero miro tus ojos y hay algo nuevo...: Una tristeza muy honda en tu mirada... ¿Qué te han hecho...?

—Me han hecho vivir toda una vida en estos meses, pero estoy de regreso y quiero ser el mismo, olvidar el pasado y reencontrarte de nuevo.

—Me da miedo.

—¿Por qué?

—Presiento que algún día volverás a marcharte...

—Te llevaré conmigo...

—¿Adónde...?

Meditó la respuesta... ¿Adónde? A París, quizás, a convertirse en la esposa de un tal Alain Remy-Duray, al que no conocía. A París, a pasar el resto de su vida con un ser que le resultaría tan sólo medio-humano y que continuaría eternamente joven mientras ella se marchitaba sin comprender la razón de tal misterio.

A París a descubrir, pronto o tarde, que Leo Lizárraga, el hombre que ella amaba sobre todas las cosas de este mundo, estaba muerto.

—¿Qué importa adónde...? —replicó al fin—. Lo que importa es que sigamos juntos... —Señaló al niño—. Los tres... ¿Cómo se llama?

Le miró con sorpresa.

—Alain, naturalmente... —dijo—. Siempre aseguraste que si era niño querías que se llamara Alain.

Experimentó un vacío en la boca del estómago. Ericsson había dicho que Leo sostenía el convencimiento de que, en su otra vida, había sido francés y se llamaba Alain. Su obsesión —o su dependencia mental— habían llegado hasta el punto de querer llamar Alain a su hijo. ¿Qué extrañas lagunas ocuparían su mente, y qué portentosa receptividad precisaría para captar así, a tanta distancia, la influencia del ser que le había dado la vida y del que no era más que una simple copia...?

Creía recordar que, en ocasiones, los gemelos idénticos se mostraban igualmente receptivos al influjo de su hermano, e incluso sentían dolor cuando el otro sufría, por muy lejos que se encontraran. De igual modo, al tratarse de las mismas células y los mismos genes, el hermano «clónico» podría depender quizá de su dador.

¿Cuánta confusión habría llegado a albergarse en el pobre cerebro de aquel muchacho? ¿Cómo trataría de buscar desesperadamente su propia identidad, acosado de continuo por influencias externas, visiones y sensaciones que no sabría nunca a qué atribuir...?

Debería resultarle muy difícil mantenerse cuerdo en tales circunstancias, experimentando siempre la sensación de que alguien, más poderoso que él, moraba en lo recóndito de su cerebro y desde allí le gritaba en francés, clamando que se llamaba Alain.

—Yo estoy bien aquí... —musitó ella al fin, apretándose aún más contra su cuerpo—. Me gusta mi trabajo y esta isla... ¿Por qué no te quedas...?

No quiso responder. Se inclinó, la besó en la frente, y acarició aquel largo y lacio cabello negro por en medio del cual sus dedos corrían como entre chorros de agua tibia. Luego, Patricia le besó la cintura y buscó sus muslos que recorrió

184

con aquella boca inaudita de labios carnosos y excitantes. Continuó acariciando el cabello que se desparramaba ahora sobre su vientre, y le repitió, una y otra vez, insistente, que la amaba.

Y era cierto.

Dejó la bicicleta sobre la arena, se introdujo en el mar y llegó nadando, con brazadas fuertes y fáciles, al pie de la escalerilla, por la que trepó con agilidad bajo la mirada de Sacha Cotrell que parecía buscar en sus ojos su estado de ánimo.

Agradeció la toalla que Sir Thomas le tendía, se frotó con ella, y se tumbó en una de las hamacas permitiendo que el fuerte sol le calentara tostando su piel.

—¿Y bien...?

Les observó muy serio, consciente de la importancia de lo que iba a decir:

—Me quedo.

—¿Cómo has dicho...? —se alarmó Sacha.

—Está claro... No volveré... —Hizo una pausa—. Alain murió. De ahora en adelante quiero ser Leo Lizárraga, un muchacho nacido en Puerto Rico.

—¿Te has vuelto loco...?

—No. En absoluto... Lo he meditado a fondo. Si le quité la vida, voy a devolvérsela. Viviré como Leo Lizárraga, me casaré con una muchacha con la que tengo un hijo; tendremos más hijos, y un día, cuando llegue mi hora, moriré en paz conmigo mismo, lejos de toda tentación de volverme eterno, ser dueño del mundo, o asesinar a otros para continuar sintiéndome joven.

—¿Es así como te castigas...?

Se volvió a Sir Thomas que era quien había hablado.

—No sé de qué castigo me hablas.

—Sí lo sabes. Te sientes culpable por la muerte de ese muchacho y pretendes pagar convirtiéndote en él... Pero no eres culpable; no sabías que iban a matarle. Te conozco y me consta que si lo hubieras sabido no habrías aceptado.

—Probablemente... —admitió—. Pero no es ése el problema. Ya ha ocurrido, y aunque creas lo contrario, no me siento culpable por lo pasado sino por lo que está por venir. Sería demasiado cómodo y egoísta por mi parte aceptarlo y continuar siendo Alain Remy-Duray, más joven, más activo, más capacitado para ser más rico y gozar de la vida. Ése sería el primer paso, y dentro de veinte años dudo que fuera capaz de vencer la tentación de continuar sintiéndome joven, activo y rico... No quiero participar en esto... —Tras una pausa añadió—: Tal vez las generaciones futuras evolucionen y su concepto de la moral, la vida y la muerte cambie, pero yo, hoy por hoy, no deseo variar mi modo de ser y de sentir. Voy a ofrecerle mi vida a aquel a quien se la arrebaté; voy a ser él, con sus alegrías y sus tristezas; con sus luchas, su miseria o su tristeza, junto a la persona a la que él amó y a la que voy a amar, y junto al hijo que tuvo y que será también mi hijo... —Agitó la cabeza convencido—. Sabía... —continuó—. «Presentía», que el dinero no bastaba para pagar la deuda, y en realidad no ha bastado. El precio es éste: renunciar a mí mismo para ser otro.

—No lo conseguirás.

—Lo intentaré.

—Te estallará el cerebro... —protestó Sacha—. Nadie puede encerrar en una caja su pasado, sus recuerdos, su personalidad completa, olvidarlos allí y aceptar otros nuevos... ¡Nadie, Alain! Tenlo por seguro.

—Aun así voy a intentarlo... —insistió—. No

encerraré en una caja mi pasado. Le permitiré que conviva conmigo como el bello recuerdo de una juventud perdida que quedó atrás hace mucho, o un ser amado que murió y por el que algunas noches sentiré una dulce nostalgia... —Extendió la mano y la posó con fuerza sobre el antebrazo de Sacha—. Tengo que intentarlo... —repitió una vez más—. ¡Mi vida se volvería un infierno de otro modo...! Vuelve y di que he muerto.

—¿Que has muerto...? —se asombró.

—Exactamente... Di que me he ahogado. Que al regresar, una ola me arrastró de cubierta y el mar me tragó... ¡Nadie investigará...! Mi familia se sentirá feliz repartiéndose mi herencia y olvidarán pronto el asunto... ¡Por favor...!

—Me estás pidiendo que cometa un delito...

—Lo sé —admitió—. Pero también sé que puedo pedírtelo... Y a Thomas...

—¿Y si un día te arrepientes...?

—¡Por eso necesito estar muerto...! —replicó con voz ronca, casi suplicante—. Para que nunca pueda arrepentirme... ¿Es que no lo comprendes...? La tentación será tan fuerte algún día que necesitaré saber que no existe ninguna posibilidad de intentarlo de nuevo. Leo Lizárraga será un pobre hombre que jamás podrá soñar con pagar para que maten a nadie para sobrevivir él mismo.

—¡Dios...! —fue todo lo que acertó a decir Sir Thomas—. ¡Dios!

—Dios no existe, Ericsson lo dijo. Los únicos dioses que existen están detrás de aquellas ventanas, observando a través de un microscopio cómo una serie de ácidos se combinan hasta convertirse en el origen de la vida, luego en un conjunto de células, y al fin en nosotros.

—¿No nos queda por tanto ninguna esperanza...? ¿No existe el alma, ni el infierno o el paraíso? ¿No vale de nada haber sido justo o injusto, bueno o malo, santo o asesino...? —La voz de Sir Thomas se quebró casi en un sollozo—. ¿Debo asfixiar este sueño loco de que algún día, en alguna parte, Ann volverá a sonreírme y a mirarme a los ojos...?

Alain se encogió de hombres y con un ademán de la cabeza señaló hacia el último piso del edificio.

—Pregúntaselo a ellos... —replicó convencido—. Que te digan si, a través de sus gigantescos microscopios pueden ver lo que existe más allá de la muerte, del mismo modo que están viendo lo que existe antes de la vida. Que te aclaren si han descubierto un cielo o un infierno, el bien o el mal, a Dios o al demonio... Si ellos no tienen una respuesta... —concluyó— nadie la tiene.

Se puso en pie, se aproximó a la borda, y ya en ella se volvió. Les observó largamente como si quisiera llevarse sus rostros grabados para siempre. Luego sonrió.

—Hasta nunca... —dijo—. ¡Y gracias...!

Saltó al agua y nadó sin prisas, disfrutando al hacerlo, hasta la playa.

En pie, sobre la arena, junto a la bicicleta, la muchacha observaba con atención el *Lady Ann III*.

—¿Es suyo...? —inquirió.

—No... —negó con firmeza—. Yo nunca podría tener un barco como ése... Es de Sir Thomas... el anciano de la camisa blanca...

—¡Ah!

Había que conocer muy bien a Shireem para comprender la profundidad de la decepción que escondía aquella simple exclamación que le hacía perder todo interés por el barco. Le miró de nuevo.

—¿Se queda en la isla?

—Sí. Me quedo.

—Yo me marcho... —Su voz sonaba triste—. Vuelvo a casa... Por lo visto ya no necesitan hacerme los análisis en Francia... Estoy completamente curada...

—No parece muy feliz...

Le observó largamente.

—No, desde luego... ¿Conoce Ecuador...? Es precioso, pero no existe mucho futuro para una muchacha encerrada en una hacienda, en Latacunga...

—Lo imagino.

Alzó la bicicleta, subió en ella y le dirigió una última sonrisa.

—Adiós... —dijo—. Y no se preocupe. Encontrará un marido rico... Si Shireem supo encontrarlo, usted también.

Comenzó a pedalear y se alejó carretera adelante, sin volver ni una sola vez el rostro, hacia la casita blanca, rodeada de un diminuto jardín que se adivinaba, más que verse, en la distancia al pie de un viejo volcán dormido hacía ya más de mil años.

Allí estaba su hogar, y lo sabía.

Madrid. Febrero de 1980

FIN